高高山頂立　深深海底行
googaosky.com

GAOGAOSKY | 高高 BOOKS

宋词三百首

[清] 上彊村民 选编

高高 注

大江东去，浪淘尽、
千古风流人物。故垒西
边，人道是、三国周郎
赤壁。乱石穿空，惊涛
拍岸，卷起千堆
雪，江山如画，一时多少
豪杰。

作家出版社

图书在版编目（CIP）数据

宋词三百首 /（清）上彊村民选编；高高注. -- 北
京：作家出版社，2016.5（2020.8重印）
ISBN 978-7-5063-8658-6

Ⅰ. 1宋… Ⅱ. 1上… 2高… Ⅲ. 1宋词—选集
Ⅳ. 1I222.844

中国版本图书馆CIP数据核字（2016）第006632号

宋词三百首

选　　编：〔清〕上彊村民
责任编辑：周　茹
装帧设计：高高国际
出版发行：作家出版社有限公司
社　　址：北京农展馆南里10号　　　邮　　编：100125
电话传真：86-10-65067186（发行中心及邮购部）
　　　　　　86-10-65004079（总编室）
E-mail:zuojia@zuojia.net.cn
http://www.zuojiachubanshe.com
印　　刷：北京盛通印刷股份有限公司
成品尺寸：146×210
字　　数：140千
印　　张：7.5
版　　次：2016年5月第1版
印　　次：2020年8月第7次印刷
ISBN 978-7-5063-8658-6
定　　价：35.00元

凡一代有一代之文学，楚之骚，汉之赋、六代之骈语，唐之诗，宋之词，元之曲，皆所谓一代之文学，而后世莫能继焉者也。

——王国维

朱孝臧（1857—1931）

出版说明

　　一、宋代是词的时代。宋词既有文学的深远意蕴，又有音乐的优美节奏，为历代华人喜爱，经数百年而不衰。《宋词三百首》是中国古代文学史上的又一桂冠，它与唐诗争芳，与元曲斗妍，总结并代表了一代文学盛世。文人以宋词寄情遣怀，或婉约，或豪迈，将离愁别绪、家国情怀演绎得淋漓尽致，美不胜收。直到今日，诵读宋词仍可陶冶情操，并为读者带来极大的艺术享受。

　　二、《宋词三百首》，由晚清四大词人之一的朱孝臧（上彊村民）于1924年编定。朱孝臧（1857—1931），原名祖谋，字古微，号沤尹，又号彊村、上彊村民，浙江归安人。他精通格律，讲究审音，有"律博士"之称，被时人尊为"宗匠"，被视为唐宋到近代数百年来万千词家的"殿军"。王国维称其为"学人之词"的"极则"（《人间词话》）。他的《宋词三百首》选录标准，以混成为主旨，以典雅为上乘，并求之体格、神致，侧重格调声律。

　　三、本版《宋词三百首》以古本为底本，共收入宋词二百八十三首，涉及词人八十三家。编者还对词中的生僻字进行注音，对词的内容、典故加以详细注解，每首词的作者均加以小传，介绍其生平事迹、主要成就及其词作的风格与特色，旨在帮助读者更好地了解和鉴赏宋词的魅力。

序

词学极盛于两宋，读宋人词当于体格、神致间求之，而体格尤重于神致。以浑成之一境为学人必赴之程境，更有进于浑成者，要非可躐而至，此关系学力者也。神致由性灵出，即体格之至美，积发而为清晖芳气而不可掩者也。近世以小慧侧艳为词，致斯道为之不尊；往往涂抹半生，未窥宋贤门径。何论堂奥！未闻有人焉，以神明与古会，而抉择其至精，为来学周行之示也。彊村先生尝选《宋词三百首》，为小阮逸馨诵习之资；大要求之体格、神致，以浑成为主旨。夫浑成未遽诣极也，能循涂守辙于三百首之中，必能取精用闳于三百首之外，益神明变化于词外求之，则夫体格、神致间尤有无形之冹合，自然之妙造，即更进于浑成，要亦未为止境。夫无止境之学，可不有以端其始基乎？则彊村兹选，倚声者宜人置一编矣。

中元甲子燕九日，临桂况周颐

目 录

6

宋詞三百首

赵　佶

赵佶（1082—1135），即宋徽宗，宋神宗第十一子，元符三年（1100）即位。宣和七年（1125），金兵南侵，赵佶传位其子赵桓（宋钦宗），靖康二年（1127）赵佶与宋钦宗一并被金人俘虏北去，最终客死他乡。赵佶在政治上任用奸佞，昏庸无能，生活上穷奢极侈，艺术上多才多艺。他曾于崇宁四年（1105）建立国家音乐机关"大晟府"，命周邦彦、万俟咏、田为等词人讨论古音、审定古调、创制新曲，对北宋后期词章的繁荣起了很大的作用。赵佶工于书画，诗、文、词皆佳，其词早期风格艳丽，晚期则多凄凉。

宴山亭 北行见杏花 [1]

裁剪冰绡 [2]，轻叠数重，淡着燕脂匀注 [3]。新样靓妆 [4]，艳溢香融，羞杀蕊珠宫女 [5]。易得凋零，更多少、无情风雨。愁苦。问院落凄凉，几番春暮？

凭寄离恨重重，者双燕，何曾会人言语 [6]！天遥地远，万水千山，知他故宫何处 [7]。怎不思量，除梦里、有时曾去。无据。和梦也、新来不做 [8]。

【注解】

1 北行：指宋徽宗被俘至北方。　2 冰绡：轻薄洁白的绢，此处比喻杏花花瓣轻薄洁白如绢。　3 燕脂：即胭脂。匀注：均匀涂抹。　4 靓（jìng）妆：

粉黛妆饰。　5 蕊珠宫：道家指天上宫阙。宋徽宗信奉道教，自称教主道君皇帝。　6 者：同"这"。会：领会，懂得。　7 知：不知；"知"当"不知"讲，古诗词中有此用法，如佚名诗"枯桑知天风，海水知天寒"。8 和：连。和梦也：就连这样的梦。新来：近来。

钱惟演

钱惟演（962—1034），字希圣，临安（今浙江杭州）人。吴越王钱弘俶之十四子，978 年，从俶归宋，历任右神武将军、太仆少卿、命直秘阁，曾参与编修《册府元龟》，累迁工部尚书，拜枢密使，官至崇信军节度使，博学能文，文辞清丽，与杨亿、刘筠齐名，并称"江东三虎"，为"西昆体"代表作家之一。有《金坡遗事》、《玉堂逢辰录》等。

木兰花

　　城上风光莺语乱[1]，城下烟波春拍岸[2]。绿杨芳草几时休，泪眼愁肠先已断。

　　情怀渐觉成衰晚[3]，鸾镜朱颜惊暗换[4]，昔年多病厌芳尊[5]，今日芳尊惟恐浅。

【注解】

　　1 莺语乱：黄莺婉转鸣叫此起彼伏。　2 烟波：指浩淼湖面。春拍岸：春水拍打堤岸。　3 衰晚：衰弱不堪的老人。　4 鸾镜：传说汉朝西域罽宾王获得一只鸾鸟，三年不曾鸣叫。听说此鸟见同类才鸣，于是悬镜于前，鸾鸟见影，哀鸣不已而亡。后诗词中多以"鸾镜"借喻临镜生悲。　5芳尊：盛着美酒的酒杯。"尊"同"樽"。

范仲淹

范仲淹（989—1052），字希文，先世为邠（今属陕西）人，后徙至吴县（今江苏苏州）。少时家贫，刻苦力学。宋真宗朝（1015）进士。庆历三年（1043）任参知政事，建议十事，行新政，遭到保守派反对，未能实现。后出任陕西四路宣抚使，病逝于赴颍州途中，卒谥文正。范仲淹不仅是北宋著名的政治家、军事家，文学成就亦极为出众。文章诗词，皆有名篇传世，有《范文正公集》。词仅存五首，词风豪迈，气势恢弘。

苏幕遮

碧云天，黄叶地[1]。秋色连波，波上寒烟翠。山映斜阳天接水。芳草无情，更在斜阳外。

黯乡魂[2]，追旅思[3]。夜夜除非，好梦留人睡。明月楼高休独倚，酒入愁肠，化作相思泪。

【注解】

1黄叶地：枯黄落叶铺满地。　2黯乡魂：因思念家乡而黯然销魂。　3追旅思：追忆旅途中的愁思。

3

御街行 秋日怀旧

纷纷坠叶飘香砌[1]。夜寂静，寒声碎。真珠帘卷玉楼空[2]，天淡银河垂地。年年今夜，月华如练[3]，长是人千里。

愁肠已断无由醉，酒未到，先成泪。残灯明灭枕头敧[4]，谙尽孤眠滋味[5]。都来此事，眉间心上，无计相回避。

【注解】

1 香砌：围绕在花草之中的台阶。　2 真珠：即指"珍珠"。　3 月华如练：月光像白色的丝绸一般美丽。　4 敧（qī）：倾斜，此处指斜靠着。　5 谙尽：尝尽。谙：深知。

张　先

张先（990—1078），字子野，乌程（今浙江湖州市）人。宋仁宗天圣八年（1030）进士。官至尚书都官郎中。张先性情洒脱风流，晚年退居湖杭之间，曾与梅尧臣、欧阳修、苏轼等同游山水，诗词唱和。善作慢词，与柳永齐名，曾因三处善用"影"字，被称作"张三影"。所作诗词多以诗酒生涯及男女之情为主，格调清新，真挚细腻，语言工巧，风格含蓄，韵味隽永。留有《安陆词》，又名《张子野词》。

千秋岁

数声鶗鴂¹，又报芳菲歇。惜春更把残红折。雨轻风色暴，梅子青时节。永丰柳²，无人尽日花飞雪³。

莫把幺弦拨⁴，恐极弦能说。天不老，情难绝。心似双丝网，中有千千结。夜过也，东窗未白凝残月⁵。

【注解】

1 鶗鴂：亦作"鹈鴂"，通常指杜鹃鸟，一说为伯劳鸟。张衡《思玄赋》中有"恃己知而华予兮，鶗鴂鸣而不芳"。　2 永丰柳：永丰，地名，指唐时洛阳永丰坊。白居易有诗："永丰西角荒园里，尽日无人属阿谁。"后以"永丰柳"泛指杨柳，有时比喻孤零女子。　3 花飞雪：指白色纷飞的柳絮。　4 幺弦：琵琶的第四弦，因其最细，故得此称。在此借指琵琶。　5 凝残月：一作"孤灯灭"。

菩萨蛮

哀筝一弄《湘江曲》¹，声声写尽湘波绿。纤指十三弦²，细将幽恨传。

当筵秋水慢³，玉柱斜飞雁⁴。弹到断肠时，春山眉黛低⁵。

【注解】

1 弄：弹奏。　2 十三弦：借指筝。筝本为十二弦，至唐宋时教坊所用筝增至十三根弦。　3 秋水：比喻女子眼波清澈明亮如水。白居易有诗："双眸剪秋水，十指剥春葱。"　4 玉柱斜飞雁：筝上系弦的玉柱斜型排列，如大雁飞行之状。　5春山：比喻女子的眉毛。《西京杂记》中曾描述卓文君"眉毛如望远山"。眉黛：古时女子以黛色画眉，故有此称。黛：青黑色。此句指女子弹筝之时因乐曲哀伤而眉头紧蹙。

醉垂鞭

双蝶绣罗裙[1]。东池宴，初相见。朱粉不深匀[2]，闲花淡淡春。细看诸处好，人人道，柳腰身[3]。昨日乱山昏[4]，来时衣上云[5]。

【注解】

1罗裙：丝罗制的裙子，泛指女性服饰。　2朱粉：胭脂粉黛。　3柳腰：像柳树一般纤细的腰身，泛指女性婀娜身姿。　4乱山昏：群山暮色苍茫。　5衣上云：衣上的花纹如云，一说衣服染上云霞之光。张先另有《师师令》"蜀彩衣长胜未起，纵乱云垂地"之句，用意相近。

一丛花

伤高怀远几时穷[1]？无物似情浓。离愁正引千丝乱[2]，更东陌，飞絮濛濛。嘶骑渐遥[3]，征尘不断，何处认郎踪？

双鸳池沼水溶溶，南北小桡通[4]。梯横画阁黄昏后[5]，又还是，斜月帘栊。沉恨细思，不如桃杏，犹解嫁东风[6]。

【注解】

1 穷:穷尽,休止。　2 千丝:杨柳的枝条。　3 嘶骑(jì):嘶叫的马儿。　4 桡 (ráo):木桨,此处代指船。　5 梯横:梯子横放,即指梯子已经收起来了。　6 解: 懂得,知道。嫁东风:古诗词中常见用语,意指随东风而去。李贺有诗:"可 怜日暮嫣香落,嫁于春风不用媒"。

天仙子 时为嘉禾小倅以病眠不赴府会[1]

《水调》数声持酒听[2],午醉醒来愁未醒。送春春去几时回? 临晚镜,伤流景[3],往事后期空记省[4]。

沙上并禽池上暝[5],云破月来花弄影[6]。重重帘幕密遮灯, 风不定,人初静,明日落红应满径。

【注解】

1 嘉禾:宋朝郡名,今浙江省嘉兴市。小倅(cuì):判官。张先曾在仁 宗庆历元年(1041)任嘉禾判官,年五十二岁。　2 水调:曲调名,《隋唐 嘉话》记载:"炀帝凿汴河,自制《水调歌》。"曲调声韵悲切。　3 流景: 流年,比喻如流水般的岁月。唐代武平一有《妾薄命》诗云:"流景一何速, 年华不可追。"　4 后期:日后的约会。记省:清楚记得。　5 并禽:成双结 对栖息的鸟儿。暝:黄昏。　6 云破月来花弄影:云彩散开,月光洒下,花 枝摇颤,摆弄着自己的影子。王国维《人间词话》评:"着一弄字而境界全 出矣。"

青门引 春思

乍暖还轻冷，风雨晚来方定[1]。庭轩寂寞近清明[2]，残花中酒[3]，又是去年病。

楼头画角风吹醒[4]，入夜重门静。那堪更被明月，隔墙送过秋千影。

【注解】

1定：停止。　2清明：节气名，每年的四月五日或六日。　3中（zhòng）酒：因醉酒而身体不适。　4画角：古代号角，以竹木或皮革制成的乐器，外表有彩绘，其声哀厉高亢，古时军中多用以报时昏晓，振作士气。风吹醒：意思是画角在风中吹起。

晏 殊

晏殊（991—1055），字同叔，临川（今江西抚州市）人。晏殊五岁能诗，七岁能文，十四岁时应召试，赐同进士出身，三十岁即拜翰林学士，官至宰相，务实任贤，范仲淹、韩琦、富弼、欧阳修等名臣都出自晏殊门下。由于一生显赫富贵，其词作多为宴游之余的消遣之作，但仍多有佳作名句传世，为婉约词派宗师。词风旖旎，工巧清丽。《宋史》谓晏殊"文章赡丽，应用不穷。尤工诗，闲雅有情思"。有《珠玉词》传世，存词一百三十余首。

浣溪沙

一曲新词酒一杯，去年天气旧池台，夕阳西下几时回？
无可奈何花落去，似曾相识燕归来，小园香径独徘徊。[1]

【注解】

1 "无可奈何花落去"三句：晏殊另有七律《示张寺丞、王校勘》收录："上巳清明假未开，小园幽径独徘徊。春寒不定斑斑雨，宿酒难禁滟滟杯。无可奈何花落去，似曾相识燕归来。游梁赋客多风味，莫惜青钱万选才。"

浣溪沙

一向年光有限身[1]，等闲离别易消魂[2]，酒筵歌席莫辞频[3]。
满目山河空念远，落花风雨更伤春，不如怜取眼前人[4]。

【注解】

1 一向：同"一晌"，片刻的时间。 2 等闲：寻常。 3 频：频繁。 4 怜取：去怜爱。唐元稹《莺莺传》有崔莺莺诗："还将旧时意，怜取眼前人。"

清平乐

红笺小字[1]，说尽平生意。鸿雁在云鱼在水[2]，惆怅此情难寄。
斜阳独倚西楼，遥山恰对帘钩。人面不知何处，绿波依旧东流[3]。

【注解】

1红笺:红色的纸笺。 2此处用两典故,"雁足传书":《汉书·苏武传》:"天子射上林中, 得雁, 足有系帛书, 言武等在某泽中。""鱼传尺素":古乐府《饮马长城窟行》"客从远方来, 遗我双鲤鱼。呼儿烹鲤鱼, 中有尺素书。"传说大雁和鱼可以传递书信。 3此处用唐代崔护《题都城南庄》诗:"人面不知何处去, 桃花依旧笑东风。"

清平乐

金风细细¹,叶叶梧桐坠。绿酒初尝人易醉,一枕小窗浓睡²。紫薇朱槿花残,斜阳却照阑干。双燕欲归时节,银屏昨夜微寒。

【注解】

1金风:指秋风,秋季五行属金。《文选》李善注:"西方为秋而主金,故秋风曰金风也。" 2浓睡:形容睡得很深。

木兰花

燕鸿过后莺归去¹,细算浮生千万绪。长于春梦几多时,散似秋云无觅处²。闻琴解佩神仙侣³,挽断罗衣留不住。劝君莫作独醒人⁴,烂醉花间应有数⁵。

【注解】

1 燕（yān）鸿：燕地之鸿，鸿即大雁。此处泛指大雁。　2 春梦：比喻转瞬即逝的良辰美景。此两句有借白居易《花非花》诗："来如春梦不多时，去似朝云无觅处。"　3 闻琴解佩：此处用两典故。闻琴：指卓文君听了司马相如一曲《凤求凰》之后，与之相偕私奔的爱情故事。解佩：指《列仙传》中记载："江妃二女者，不知何所人也，出游于江汉之湄，逢郑交甫，见而悦之，不知其神人也，谓其仆曰：'我欲下请其佩。'……遂手解佩与交甫。"大意为一个名叫郑交甫的人，出游江汉之时，偶遇两位绝色美女，其实是传说中的舜的两位妻子，她们因投水汉江而成为神女。郑对之一见钟情，并感动了两位神女，于是应他的请求，神女解下玉佩留作纪念。此二典故都喻指激烈而深厚的爱情。　4 独醒：出自屈原《楚辞·渔父》："举世皆浊我独清，众人皆醉我独醒，是以见放。"　5 应有数：应该有的定数。即指命中注定。白居易有诗《村中留李三固言宿》："如我与君心，相知应有数。"

木兰花

池塘水绿风微暖，记得玉真初见面[1]。重头歌韵响琤琮[2]，入破舞腰红乱旋[3]。

玉钩阑下香阶畔[4]，醉后不知斜日晚。当时共我赏花人，点检如今无一半[5]。

【注解】

1 玉真：玉人，形容美丽的女子。真：指神仙。　2 重（chóng）头：乐曲术语，指词中上中下阕节拍声韵完全相同者，称重头。琤琮（chēng cóng）：即琮铮，形容玉石撞击之声，亦形容水流击石的声音。　3 入破：乐曲术语，指曲调突然加快变急。 乱旋（xuàn）：指舞蹈节奏也随音乐而加快。 4玉钩：比喻新月。鲍照有诗："始见东南楼，纤纤如玉钩。"又有李白《挂席江上待月有怀》："倐忽城西郭，青天悬玉钩。" 5点检：一一点算，算起来。

木兰花

绿杨芳草长亭路[1]。年少抛人容易去。楼头残梦五更钟，花底离愁三月雨[2]。

无情不似多情苦。一寸还成千万缕[3]。天涯地角有穷时，只有相思无尽处[4]。

【注解】

1长亭：古时设在路边的亭舍，常作饯别之用。古代驿路上有"十里一长亭，五里一短亭"之说。 2"五更钟"与"三月雨"，都是离人相思的时节。 3一寸：比喻心。千万缕：指相思之情。 4"天涯"两句，取自白居易《长恨歌》中"天长地久有时尽，此恨绵绵无绝期"。

踏莎行

祖席离歌[1]，长亭别宴，香尘已隔犹回面[2]。居人匹马映林嘶[3]，行人去棹依波转[4]。

画阁魂消，高楼目断，斜阳只送平波远。无穷无尽是离愁，天涯地角寻思遍。

踏莎行

小径红稀[1]，芳郊绿遍[2]，高台树色阴阴见[3]。春风不解禁杨花[4]，漾漾乱扑行人面。

翠叶藏莺，朱帘隔燕，炉香静逐游丝转[5]。一场愁梦酒醒时，斜阳却照深深院。

【注解】

1红稀：红花已然凋残稀疏。 2绿遍：青草铺满地。 3阴阴见（xiàn）：形容绿树成荫，呈现出一片幽暗之色。李商隐有诗："前阁雨帘愁不卷，后堂芳树阴阴见。" 4禁：禁止，阻止。 5游丝转：蜘蛛、青虫之类吐出的细丝飘荡在空中，多见于春天。

蝶恋花

六曲阑干偎碧树[1]，杨柳风轻，展尽黄金缕[2]。谁把钿筝移玉柱[3]，穿帘海燕双飞去。

满眼游丝兼落絮，红杏开时，一霎清明雨[4]。浓睡觉来莺乱语，惊残好梦无寻处。

【注解】

1偎：紧贴着，依偎着。 2黄金缕：比喻初绽新芽的柳条。 3钿筝：以金银镶嵌以做装饰的筝。移玉柱：此处指弹奏古筝。 4一霎：极短的时间，转眼之间。

韩缜

韩缜（1019—1097），字玉汝。先祖为真定灵寿（今属河北）人，迁居开封雍丘（今河南杞县）。庆历二年（1042）进士，累任知枢密院事、尚书右仆射兼中书侍郎等，官至太子太保。今存词仅《凤箫吟》一首，借咏春草以抒离别之情，一时天下传诵，成为咏草的名篇。

凤箫吟

锁离愁[1]，连绵无际，来时陌上初熏[2]。绣帏人念远[3]，暗垂珠露[4]，泣送征轮[5]。长行长在眼，更重重、远水孤云。但望极楼高，尽日目断王孙⁶。

消魂，池塘别后，曾行处、绿妒轻裙⁷。恁时携素手⁸，乱花飞絮里，缓步香茵。朱颜空自改，向年年、芳意长新⁹。遍绿野、嬉游醉眼，莫负青春。

【注解】

1锁离愁：离别的愁绪无处排遣。　2陌上初薰：田间小路之上初次散发香气。江淹《别赋》中有"闺中风暖，陌上草薰。"薰：指香气。　3绣帏：原意是绣花的帏帐，此处代指女子的闺房。绣帏人：即家中妻妾。　4暗垂珠露：一语双关，既有青草垂露，又有思妇垂泪之意。　5征轮：远行的车子。　6王孙：作者引以自指。语出《楚辞·招隐士》"王孙游兮不归，春草生兮萋萋"。　7绿妒轻裙：意思是就连青草也妒忌轻盈的绿罗裙的颜色。另牛希济有诗："记得绿罗裙，处处怜芳草。"　8恁时：那个时候。　9向：到，临。此句意为：到每年春天，新的芳草总会长出来。

宋　祁

宋祁（998—1061），字子京，祖居安陆（今属湖北），后迁居雍丘（今河南杞县）。天圣二年（1024），与其兄宋庠同举进士，礼部置宋祁第一，宋庠第三。而当时漳献太后则以为弟不可在兄之上，便升庠为第一，列祁第十，时称"大小宋"。累任知制诰、工部尚书、翰林学士承旨。宋祁长于诗文，于史学亦有建树，曾与欧阳修同修《新唐书》。宋祁词作多写生活琐事，词风工巧而不失清丽，李之仪在《姑溪题跋》中曾誉之曰："以余力游戏为词，而风流闲雅，超出意表"。一句"红杏枝头春意闹"，为他赢得"红杏尚书"的千古美名。

木兰花

东城渐觉风光好，縠皱波纹迎客棹¹。绿杨烟外晓寒轻，红杏枝头春意闹²。

浮生长恨欢娱少，肯爱千金轻一笑³？为君持酒劝斜阳，且向花间留晚照⁴。

【注解】

1縠(hú)皱：縠，指有褶皱的纱。此处比喻水面的波纹。 2王国维在《人间词话》中赞誉此句："着一'闹'字而境界全出。" 3肯：岂肯。此句意为："岂肯吝惜金钱而轻视生活的快乐呢。"即主张及时行乐的生活态度。 4此处借引李商隐《写意》诗："日向花间留晚照。"

欧阳修

欧阳修（1007—1072），字永叔，号醉翁，晚号六一居士，吉州永丰（今属江西）人。天圣八年（1030）进士。官至枢密副使、参知政事。欧阳修是当时"天下翕然师尊之"的文坛大家，是北宋诗文革新运动的领袖，是宋以来第一个在文、诗、词各方面均有极高造诣的大家。欧阳修以散文成就最高，为"唐宋八大家"之一，有《欧阳文忠公集》传世。亦擅长填词，时人常将他的词与晏殊媲美，认为"冯延巳词，晏同叔得其俊，欧阳修得其深"，其词内容多写恋情醉歌、自然风物，时人谓之"虽游戏作小词，亦无愧唐人《花间集》"。词风清新疏淡，婉约清丽。今有《六一词》传世。

采桑子

群芳过后西湖好[1]，狼藉残红[2]，飞絮濛濛，垂柳阑干尽日风[3]。

笙歌散尽游人去，始觉春空，垂下帘栊[4]，双燕归来细雨中。

【注解】

1 西湖：此西湖指颍州西湖，在今安徽阜阳县西北，颍水合诸水汇流处。 2 狼藉：纵横散乱。残红：凋零的花瓣。 3 阑干：纵横交错的样子。岑参有诗《白雪歌送武判官归京》："瀚海阑干百丈冰，愁云惨淡万里凝。" 4 帘栊：窗帘。栊，指窗棂。

诉衷情

清晨帘幕卷轻霜，呵手试梅妆[1]。都缘自有离恨，故画作远山长[2]。

思往事，惜流芳[3]，易成伤[4]。拟歌先敛[5]，欲笑还颦[6]，最断人肠。

【注解】

1 呵手：往手上呵气以取暖。梅妆：南朝宋武帝之女寿阳公主曾在额头作梅花妆，时下宫女争相效仿，故有此说。 2 远山：比喻女子的眉毛。 3 流芳：悄然流逝的时光。 4 成伤：引起悲伤。 5 敛：收敛面容，显出庄重的样子。 6 颦（pín）：皱眉头。

踏莎行

候馆梅残[1]，溪桥柳细，草熏风暖摇征辔[2]。离愁渐远渐无穷，迢迢不断如春水[3]。

寸寸柔肠，盈盈粉泪，楼高莫近危阑倚[4]。平芜尽处是春山[5]，行人更在春山外。

【注解】

1候馆：接待宾客的馆舍、旅店。　2草熏风暖：江淹《别赋》中有语："闺中风暖，陌上草熏。"草熏，青草散发出香气。征辔（pèi）：马缰绳，此处代指马。摇征辔：指骑马远行。　3迢迢：形容极其遥远。　4危阑：高处的栏杆。　5平芜：平坦而广阔的草原。

蝶恋花

庭院深深深几许？杨柳堆烟，帘幕无重数[1]。玉勒雕鞍游冶处[2]，楼高不见章台路[3]。

雨横风狂三月暮[4]，门掩黄昏，无计留春住。泪眼问花花不语，乱红飞过秋千去。

【注解】

1"杨柳"两句，意思是杨柳就像一堆堆青烟，郁结成重重翠绿的帘幕。　2玉勒雕鞍：镶玉的马笼头和雕花的马鞍，代指华贵的车马，此处代指贵族子弟。游冶：游玩。　3章台路：汉代长安有章台街，为青楼聚集之地。《汉书》谓张敞无威仪，罢朝以后，走马过章台街。此处代指烟花柳巷。　4雨横（hèng）：形容雨势很猛。三月暮：三月将过。

蝶恋花 [1]

谁道闲情抛弃久？每到春来，惆怅还依旧。日日花前常病酒 [2]，不辞镜里朱颜瘦。

河畔青芜堤上柳 [3]，为问新愁，何事年年有？独立小桥风满袖，平林新月人归后。

【注解】

1此词作者一说为冯延巳。下篇同。2病酒：因醉酒而身体不适。 3青芜：茂盛的青草。

蝶恋花

几日行云何处去 [1]？忘了归来，不道春将暮 [2]。百草千花寒食路 [3]，香车系在谁家树？

泪眼倚楼频独语，双燕来时，陌上相逢否？撩乱春愁如柳絮，依依梦里无寻处 [4]。

【注解】

1行云：形容人云游无定所。唐戎昱《送零陵妓》诗云："宝钿香蛾翡翠裙，装成掩泣欲行云。" 2不道：不知不觉。3寒食：寒食节，清明节前一两日，旧俗禁烟火，食冷餐。 4依依：一作"悠悠"。

木兰花

别后不知君远近，触目凄凉多少闷！渐行渐远渐无书，水阔鱼沉何处问¹？

夜深风竹敲秋韵²，万叶千声皆是恨。故敧单枕梦中寻，梦又不成灯又烬³。

【注解】

1 鱼沉：古有"鱼传尺素"之典，"鱼沉"比喻收不到书信。　2 秋韵：秋声。庾信有诗："急节迎秋韵，新声入手调。"　3 灯又烬：指灯芯燃成了灰烬。

浪淘沙

把酒祝东风，且共从容¹。垂杨紫陌洛城东²，总是当时携手处，游遍芳丛。

聚散苦匆匆，此恨无穷。今年花胜去年红，可惜明年花更好，知与谁同³？

【注解】

1 从容：留连盘桓之意。唐代司空图有《酒泉子》词曰："黄昏把酒祝东风，且共从容。"此处化用此句。　2 紫陌：泛指帝都郊野的道路。刘禹锡有诗："紫陌红尘拂面来，无人不道看花回。"洛城：洛阳。　3 知与谁同：不知道还能与谁一起。

青玉案

一年春事都来几？早过了、三之二。绿暗红嫣浑可事[1]，绿杨庭院，暖风帘幕，有个人憔悴。

买花载酒长安市，又争似、家山见桃李[2]？不枉东风吹客泪[3]，相思难表，梦魂无据，惟有归来是[4]。

【注解】

1浑可事：寻常事，算不得什么事；一说还算可乐之事。 2争似：怎似，怎能比得上。家山：家乡，故乡。桃李：比喻女子，妻妾。 3不枉：不冤枉，不怪。 4归来：回家乡。

柳 永

柳永（约987—1053），原名三变，后改永，字耆卿，家中排行老七，人称"柳七"。崇安（今属福建）人。景祐元年（1034）进士。柳永虽才思敏捷，但却仕途不顺，传说因其词《鹤冲天》中一句"忍把浮名、换了浅斟低唱"，惹恼了宋仁宗，特黜之曰："何要浮名？且填词去。"因此柳永一生只做过余杭令、屯田员外郎一类小官。由于失意无聊，柳永常年纵情于娼馆酒楼之间，并自称"奉旨填词柳三变"。柳永为乐工歌妓创作了大量长调（慢词），时人争相传唱，以至于有"凡有井水处即能歌柳词"的说法。柳永对长调进行了大力倡导和开拓。其词"层层铺叙，情景兼融，一笔到底，始终不懈"，对后人的长调创作影响深远。他的另一贡献在于将许多俚言俗语填入词中，更加贴近下层市民的生活，更能使"天下咏之"。他的词多写市井风光、妓馆风情，而尤以写羁旅远行、离愁别绪最为著名，留下诸如"今宵酒醒何处，杨柳岸，晓风残月"等名篇名句。抒怀离别悲情之余，更是自己一生颠沛、郁郁不得志的写照。

曲玉管

陇首云飞[1]，江边日晚，烟波满目凭阑久[2]。一望关河萧索[3]，千里清秋，忍凝眸[4]。

杳杳神京[5]，盈盈仙子[6]，别来锦字终难偶[7]。断雁无凭[8]，冉冉飞下汀洲[9]，思悠悠。

暗想当初，有多少、幽欢佳会，岂知聚散难期，翻成雨恨云愁[10]？阻追游，每登山临水，惹起平生心事，一场消黯，永日无言[11]，却下层楼。

【注解】

1 陇首：高丘的顶端。　2 阑：同"栏"，意指栏杆。　3 一望：一作"立望"。关河：关隘山河。　4 忍凝眸：忍下心来凝望。　5 杳杳：渺远、深远的样子。神京：京都，都城。　6 仙子：形容美丽的女子。　7 锦字：原意指情书、书信，此处用典，《晋书》中记载了这样一个故事："秦州刺史窦滔与妻子苏惠远别，苏氏绣字于锦上，作《回文璇玑图》诗以赠滔，诗句凄婉，且回环可读，以示相思绵绵不绝之意。"难偶：难以相遇。此句意为：自离别后，相思不觉却难以相见。　8 断雁：落单的孤雁。此句意为大雁传书无可凭借。　9 冉冉：缓缓，渐渐。汀洲：水中的小洲。　10 雨恨云愁：指男女之间无法相会共欢的怨愁。　11 消黯：黯然销魂。永日：长日，终日。

雨霖铃

寒蝉凄切，对长亭晚，骤雨初歇。都门帐饮无绪[1]，留恋处、兰舟催发[2]。执手相看泪眼，竟无语凝噎[3]。念去去、千里烟波，暮霭沉沉楚天阔[4]。

多情自古伤离别，更那堪、冷落清秋节！今宵酒醒何处？杨柳岸、晓风残月。此去经年[5]，应是良辰好景虚设。便纵有千种风情[6]，更与何人说？

【注解】

1都门帐饮：在都城门外设帐饯行。无绪：没有什么心情。 2兰舟：古时对船的美称，形容船华贵，此处泛指船。 3无语凝噎：喉中哽咽，说不出话来。 4暮霭沉沉：傍晚的云雾阴沉不散。楚天：江南楚地的天空。 5经年：年复一年。 6风情：风流情意。

蝶恋花

伫倚危楼风细细[1]，望极春愁，黯黯生天际[2]。草色烟光残照里，无言谁会凭阑意？

拟把疏狂图一醉[3]，对酒当歌，强乐还无味[4]。衣带渐宽终不悔[5]，为伊消得人憔悴[6]。

【注解】

1伫倚：久立而有所待。危楼：高楼。 2黯黯：凄凉忧愁的样子。韦应物有诗："世事茫茫难自料，春愁黯黯独成眠。" 3拟把：打算以。疏狂：

豪放而不受约束。此句意为打算放纵一下自己。 4强乐：勉强作乐。 5衣带渐宽：以衣带宽形容人渐消瘦。这并非柳永的原创，《古诗十九首》中有："相去日已远，衣带日以缓。" 6伊：她，他。消得：值得。

采莲令

月华收[1]，云淡霜天曙。西征客[2]、此时情苦。翠娥执手[3]，送临歧[4]、轧轧开朱户[5]。千娇面、盈盈伫立，无言有泪，断肠争忍回顾[6]？

一叶兰舟，便恁急桨凌波去。贪行色[7]、岂知离绪，万般方寸[8]，但饮恨、脉脉同谁语[9]？更回首、重城不见[10]，寒江天外，隐隐两三烟树。

【注解】

1月华：即月光。月光收起，即指时近黎明。 2西征客：往西方远行的人。 3翠娥：泛指年轻貌美的女子。 4临歧：走到岔路口分别。古时常用"歧路"表示分别，王勃有诗《送杜少府之任蜀州》："无为在歧路，儿女共沾巾。" 5轧（yà）轧：象声词，此处指开门的声音。 6争忍：怎么忍得。 7贪行色：只顾得出行的种种。行色：出行前后的情状。 8方寸：指心。 9脉脉：含情欲吐的样子。 10重城：指内外有两层城墙的都城。此处指离别之地。

浪淘沙慢

梦觉透窗风一线，寒灯吹息。那堪酒醒，又闻空阶夜雨频滴。嗟因循[1]、久作天涯客。负佳人、几许盟言，便忍把、从前欢会，陡顿翻成忧戚[2]。

愁极，再三追思，洞房深处[3]，几度饮散歌阑[4]，香暖鸳鸯被。岂暂时疏散[5]，费伊心力。殢云尤雨[6]，有万般千种，相怜相惜。

恰到如今，天长漏永[7]，无端自家疏隔。知何时、却拥秦云态[8]？愿低帏昵枕[9]，轻轻细说与，江乡夜夜，数寒更思忆。

【注解】

1 嗟：叹息。因循：拖沓，疲塌，得过且过。 2 陡顿：突然，顿时。 3 洞房：此处指幽密的闺房、卧室。 4 饮散歌阑：酒也喝完，歌也唱罢。阑：此处为残尽之意。 5 疏散：疏散忧闷。 6 殢（tì）云尤雨：意即贪恋男女云雨之欢情。殢：滞留。7 漏永：指夜晚很长仿佛永久。漏：即漏壶、更漏，古代以滴水计时的器具。 8 秦云：秦云楚雨，指男女云雨欢爱。司空图有诗："丹桂石楠宜并长，秦云楚雨暗相合。" 9 低帏昵枕：放下帏帐，在枕上亲昵。

定风波

自春来、惨绿愁红，芳心是事可可[1]。日上花梢，莺穿柳带，犹压香衾卧。暖酥消[2]、腻云亸[3]，终日厌厌倦梳裹[4]。无那[5]。

恨薄情一去，音书无个。

早知恁么[6]，悔当初、不把雕鞍锁。向鸡窗[7]，只与蛮笺象管[8]，拘束教吟课[9]。镇相随[10]、莫抛躲，针线闲拈伴伊坐。和我，免使年少，光阴虚过。

【注解】

1是事可可：凡事都没有心情，什么事都不在意。2暖酥消：身体消瘦。暖酥，形容女子温暖酥软的肌肤。 3腻云亸（duǒ）：腻云，比喻女子的头发。亸，散乱下垂。 4梳裹：梳，梳妆；裹，穿衣打扮。 5无那：那，一说音nuò。无那，即无奈。 6恁么：方言，如此。 7鸡窗：书房。此处有典，《幽明录》中记载：晋代兖州刺史宋处宗曾养一只鸡于窗前，久而作人语，便与处宗终日谈说论道，处宗因此口才大进。唐代罗隐有诗："鸡窗夜静开书卷，鱼槛春深展钓丝。"后即以"鸡窗"指代书房。 8蛮笺：唐代高丽纸的别称，也指四川产的彩色笺纸。象管：象牙做的笔管，指珍贵的毛笔。此处泛指纸笔。 9教吟课：让他将吟诗作词当作功课。 10镇：长久。

少年游

长安古道马迟迟[1]，高柳乱蝉嘶。夕阳岛外，秋风原上，目断四天垂[2]。

归云一去无踪迹[3]，何处是前期[4]？狎兴生疏[5]，酒徒萧索[6]，不似去年时。

【注解】

1迟迟：迟缓，缓缓而行的样子。 2四天垂：四天，即指四方，四天

3归云：借指曾经相爱过的女子。 4前期：此处指再次相会之期。 5狎（xiá）兴：游玩的兴致。 6酒徒：指可一起饮酒作乐的朋友。

戚 氏

晚秋天，一霎微雨洒庭轩。槛菊萧疏¹，井梧零乱，惹残烟。凄然，望江关，飞云黯淡夕阳闲。当时宋玉悲感²，向此临水与登山。远道迢递³，行人凄楚，倦听陇水潺湲⁴。正蝉吟败叶，蛩响衰草⁵，相应喧喧。

孤馆度日如年，风露渐变，悄悄至更阑⁶。长天净，绛河清浅⁷，皓月婵娟⁸。思绵绵，夜永对景，那堪屈指暗想从前。未名未禄，绮陌红楼，往往经岁迁延。

帝里风光好⁹，当年少日，暮宴朝欢。况有狂朋怪侣，遇当歌对酒竞留连。别来迅景如梭¹⁰，旧游似梦，烟水程何限？念利名、憔悴长萦绊，追往事、空惨愁颜。漏箭移¹¹，稍觉轻寒，渐呜咽、画角数声残。对闲窗畔，停灯向晓，抱影无眠¹²。

【注解】

1槛（jiàn）菊萧疏：槛，栏杆。栏杆边的菊花已凋零萧索。 2宋玉：楚国词赋家，师从屈原，曾作《九辩》，有"悲哉秋之为气也"之语。 3迢递：遥远的样子。 4陇水潺湲（yuán）：陇水，河流名称。潺湲：形容水缓缓流动的样子。出自《楚辞·九歌·湘夫人》："荒忽兮远望，观流水兮潺湲。" 5蛩（qióng）：蟋蟀。 6更阑：更深夜残。唐方干有《元日》诗："晨鸡两遍报更阑，刁斗无声晓露干。" 7绛河：指银河。 8婵娟：美好的样子。 9帝里:指京城,即当时的汴梁(今开封)。 10迅景:飞逝的时光。 11漏箭:古代计时器漏壶中插一根有托的标杆,以其浮沉来计时刻。此处借喻光阴。 12抱影:与自己的影子为伴,形容孤独。晋代左思有诗:"落落穷巷士,抱影守空庐。"

夜半乐

冻云黯淡天气[1],扁舟一叶,乘兴离江渚。度万壑千崖,越溪深处。怒涛渐息,樵风乍起[2],更闻商旅相呼。片帆高举,泛画鹢[3]、翩翩过南浦。

望中酒旆闪闪[4],一簇烟村,数行霜树。残日下、渔人鸣榔归去[5]。败荷零落,衰杨掩映,岸边两两三三,浣纱游女[6]。避行客、含羞笑相语。

到此因念,绣阁轻抛,浪萍难驻[7]。叹后约、丁宁竟何据[8]?惨离怀、空恨岁晚归期阻。凝泪眼、杳杳神京路[9],断鸿声远长天暮。

【注解】

1冻云:冬季凝结不散的阴云。唐代方干有诗:"冻云愁暮色,寒日淡斜晖。" 2樵风:此处有典,《后汉书·郑弘传》中记载:东汉郑弘上山砍柴,拾得一箭,遇仙人来索,便求仙人使若邪溪朝吹南风,暮吹北风,以便樵舟缘溪往返,遂得。后世便称"樵风"为顺风、好风。 3画鹢(yì):泛指船。鹢,鸟名,形如鹭鹚的大型水鸟。画鹢,古代船头描绘鹢首以求吉利,故称船为画鹢。 4酒旆(pèi):酒旗。 5鸣榔:榔,用来敲击船舷的木棒,渔人用具,用以惊鱼入网。此处指击船以歌,作为节拍。 6浣(huàn)纱:洗衣服。 7浪

萍:逐浪漂流的浮萍,此处比喻游子,乃作者自况。　8丁宁:同"叮咛"。　9杳
(yǎo)杳:形容遥远的样子。神京:即指汴京。

玉蝴蝶

　　望处雨收云断,凭阑悄悄,目送秋光。晚景萧疏[1],堪动宋玉悲凉。水风轻、蘋花渐老[2];月露冷、梧叶飘黄。遣情伤[3],故人何在?烟水茫茫。

　　难忘,文期酒会[4],几孤风月[5],屡变星霜[6]。海阔山遥,未知何处是潇湘[7]?念双燕、难凭音信;指暮天、空识归航。黯相望,断鸿声里,立尽斜阳。

【注解】

　　1萧疏:寂寞而凄凉。　2蘋(pín)花:夏秋季开的一种白色小花。　3遣:使得,教。　4文期酒会:指文人墨客的聚会。　5孤:一说此处为辜负之意。　6星霜:即一年时光。星星一年一周天,霜则一秋一降,因此称一年为一星霜。　7潇湘:潇水和湘水并称,均为古河流名,在今湖南境内。传说娥皇、女英随舜不返,死于湘水。后常以潇湘泛指千里之外的相思之地。

八声甘州

　　对潇潇暮雨洒江天,一番洗清秋。渐霜风凄紧,关河冷落[1],残照当楼。是处红衰翠减[2],苒苒物华休[3]。惟有长江水,无语东流。

不忍登高临远，望故乡渺邈⁴，归思难收⁵。叹年来踪迹，何事苦淹留⁶？想佳人、妆楼颙望⁷，误几回、天际识归舟⁸？争知我⁹、倚阑干处，正恁凝愁？

【注解】

1关河：关隘山河。关，关山之地。 2红衰翠减：红花凋落，绿叶飘零。 3苒苒：同"冉冉"，渐渐的意思。物华休：万物景状凋残。 4渺邈（miǎo）：形容极其遥远。 5归思：思乡之情。 6淹留：久留。 7颙（yóng）望：抬头凝望。唐代李赤有诗："颙望临碧空，怨情感别离。"一作"凝望"。 8天际识归舟：此处化用谢朓诗《之宣城郡出新林浦向板桥》："天际识归舟，云中辨江树。" 9争知我：怎知我。

迷神引

一叶扁舟轻帆卷，暂泊楚江南岸¹。孤城暮角，引胡笳怨²。水茫茫，平沙雁，旋惊散³。烟敛寒林簇，画屏展⁴，天际遥山小，黛眉浅⁵。

旧赏轻抛⁶，到此成游宦。觉客程劳，年光晚。异乡风物，忍萧索，当愁眼。帝城赊⁷，秦楼阻⁸，旅魂乱。芳草连空阔，残照满，佳人无消息，断云远。

【注解】

1楚江：宋时长江中下游一带为楚江，因为古时楚国之地。故称。 2胡笳（jiā）：蒙古族管状吹奏乐器，木制，有三孔，其音悲切。 3旋：形容很快。 4画屏展：比喻景色像画屏一样展开来。 5黛眉浅：古时多以远山比

喻眉毛,此处则以眉毛比喻远山。　6旧赏:旧爱。轻抛:轻易地抛弃。　7赊:
指距离遥远。　8秦楼:指青楼妓院。

竹马子

　　登孤垒荒凉,危亭旷望,静临烟渚。对雌霓挂雨[1],雄风
拂槛[2],微收残暑。渐觉一叶惊秋[3],残蝉噪晚,素商时序[4]。
览景想前欢,指神京、非雾非烟深处。

　　向此成追感,新愁易积,故人难聚。凭高尽日凝伫,赢得
消魂无语[5]。极目霁霭霏微[6],暝鸦零乱,萧索江城暮。南楼画角,
又送残阳去。

【注解】

　　1雌霓:指彩虹。彩虹有时分两层,色彩较鲜艳者为雄,称虹;色彩较浅
暗者为雌,称霓。此处称"雌霓"意与下句"雄风"相对。　2雄风:雄壮
猛烈之风。宋玉《风赋》有:"此大王之雄风也。"拂槛(jiàn):吹拂过栏杆。　3一
叶惊秋:《淮南子》中有"见一叶落而知岁之将暮",故有此说。　4素商时序:
素商,秋季。按五行,秋季属白,五音中属商。时序:时节,季节。5赢得:
只剩得。　6霁霭:晴天的烟雾。霏微:雾气或细雨弥漫的样子。

王安石

王安石（1021—1086），字介甫，号半山，谥文，封荆国公，世人又称王荆公。抚州临川（今江西省东乡县）人，唐宋八大家之一。中国历史上杰出的政治家、文学家，王安石曾以宰相之位实行变法，后遭抵制而失败。欧阳修称赞王安石曰："翰林风月三千首，吏部文章二百年。老去自怜心尚在，后来谁与子争先。"其存词不多，但却能"一洗五代旧习"，给绮靡的词坛带来一股清新雄峻之风。传世文集有《王临川集》、《临川集拾遗》等。

桂枝香

登临送目¹，正故国晚秋²，天气初肃³。千里澄江似练⁴，翠峰如簇⁵。归帆去棹斜阳里⁶，背西风，酒旗斜矗。彩舟云淡，星河鹭起⁷，画图难足⁸。

念往昔、繁华竞逐，叹门外楼头⁹，悲恨相续。千古凭高¹⁰，对此漫嗟荣辱¹¹。六朝旧事如流水¹²，但寒烟、衰草凝绿¹³。至今商女，时时犹唱，《后庭》遗曲¹⁴。

【注解】

1 送目：放眼远眺。　2 故国：指金陵，六朝的旧都，宋时为江宁，今为江苏省南京市。　3 肃：清肃、萧索。形容秋高气爽，时节萧条。　4 江：长江。澄江似练，形容长江水色澄澈，像一条白色的锦绢。　5 簇（cù）：箭头。　6 棹（zhào）：船桨。帆、棹在此皆代指船。　7 星河：天河，比喻长江。

星河鹭起：长江水面上白鹭翻飞。　8画图难足：（此番美景）难以用任何图画充分表达。　9门外楼头：借杜牧"门外韩擒虎，楼头张丽华"诗意之典故。门，指朱雀门。楼头，指陈朝后主陈叔宝宠妃张丽华所居之结绮阁。韩擒虎，隋朝大将，据说其率军破朱雀门攻入金陵时陈叔宝及宠妃张丽华仍在赋诗作乐。　10凭高：登高凭吊。　11漫嗟：徒然地感慨叹息。　12六朝：指吴、东晋、宋、齐、梁、陈，皆以金陵为都。　13衰草凝绿：草木衰枯之后的黯淡之绿。　14《后庭》遗曲：陈后主游宴后庭，曾作《玉树后庭花》，后人以为亡国之音。杜牧诗："商女不知亡国恨，隔江犹唱《后庭花》。"

千秋岁引

别馆寒砧[1]，孤城画角，一派秋声人寥廓[2]。东归燕从海上去，南来雁向沙头落。楚台风[3]，庾楼月[4]，宛如昨。

无奈被些名利缚，无奈被他情担搁[5]，可惜风流总闲却。当初漫留华表语[6]，而今误我秦楼约[7]。梦阑时[8]，酒醒后，思量着。

【注解】

1别馆：客栈。砧（zhēn）：捣衣石。寒砧：借指寒秋捣衣，思乡怀亲之情。　2寥廓：指天地广阔。　3楚台风：宋玉《风赋》有："楚王游于兰台，有风飒至，王乃披襟以当之曰：'快哉此风！'"　4庾楼月：《世说新语》载，晋庾亮镇守武昌，曾与诸佐吏乘夜月共上南楼吟咏。后庾楼泛指楼阁。　5担搁：耽误、延误。　6漫，徒然地。华表语：此处用丁令威之典故。《续搜神记》载，辽东人丁令威学道后，化鹤停于城门华表柱上，歌曰："有鸟有鸟丁令威，去家千年今来归；城中如故人民非，何不学仙冢累累！"借指因学道耽误了及时行乐。　7秦楼：歌楼妓院。　8阑：尽。

王安国

王安国（1030—1076），字平甫，抚州临川（今江西省东乡县）人，王安石之弟。数举进士不中，后经人举荐，召试学士院，赐进士出身，官至大理寺丞、集贤校理。政见与其兄不合，后夺官放归田里，一生郁郁不得志。存词三首。

清平乐[1]

留春不住，费尽莺儿语。满地残红宫锦污[2]，昨夜南园风雨。
小怜初上琵琶[3]，晓来思绕天涯。不肯画堂朱户[4]，春风自在杨花[5]。

【注解】

1 是一首惜春之作，亦有人于词牌之下加"春晚"二字作为题目。 2 宫锦：宫中铺地的织锦，此处比喻落花。 3 小怜：指北齐后主宠妃冯小怜，其擅弹琵琶，此泛指歌女。初上：初次弹奏。 4 画堂朱户：泛指富贵人家。 5 杨花：一作"梨花"。

晏几道

晏几道（1038—1110），字叔原，号小山，抚州临川（今属江西）人。系当时宰相晏殊的"暮子"。晏几道早年生活优越，后家道中落，与其父晏殊齐名，世称"二晏"。曾任颍昌府许田镇监及开封府推官，一生仕途不顺，官职卑微，晚年更是落魄不堪，贫困潦倒。由于个性耿介，疏狂孤傲，才情满腹，其文章翰墨深受称道，其词善写言情，风格清丽婉转而明白晓畅，小令艺术技巧更是造诣精深，堪称当时填词一大家。存词二百余首，有《小山词》一卷。

临江仙¹

梦后楼台高锁，酒醒帘幕低垂²。去年春恨却来时。落花人独立，微雨燕双飞³。

记得小蘋初见⁴，两重心字罗衣⁵。琵琶弦上说相思。当时明月在，曾照彩云归⁶。

【注解】

1临江仙：原为唐教坊曲名，后为词牌名。双调五十八字或六十字，皆用平韵。　2楼台高锁，帘幕低垂：形容人去楼空。　3落花人独立，微雨燕双飞：套用五代翁宏《春残》原句："又是春残也，如何出翠帏。落花人独立，微雨燕双飞。"虽为套用，却恰到好处，浑然天成，被赞为"千古不能有二"的名句。　4小蘋：作者友人家歌女的名字。　5两重心字罗衣：用心字香熏过两次的薄罗衣衫；一作衣领式样或衣上图案屈曲如"心"字。此处"心"字有一语双关之意，暗示心心相印。　6彩云：喻指小蘋，同时也寄托了人世无常，欢娱难再的忧思感慨。

蝶恋花

梦入江南烟水路，行尽江南，不与离人遇[1]。睡里消魂无说处，觉来惆怅消魂误。

欲尽此情书尺素[2]，浮雁沉鱼[3]，终了无凭据[4]。却倚缓弦歌别绪[5]，断肠移破秦筝柱[6]。

【注解】

1离人：离别的意中人。 2尺素：代指书笺、书信。素，生绢，古代常用约尺许左右的绢帛写信，故称书笺为尺素。3浮雁沉鱼：雁、鱼，代指传递书信的途径。浮雁沉鱼，代指书信难以寄达。 4终了：终究，终于。凭据：依托、依据。 5却：一作"欲"。缓弦：缓缓地弹拨琴弦，以抒发离愁寄恨。 6移破：弄断，一作"移遍"。秦筝：古秦地所用的一种弦乐器，相传为秦将蒙恬所制，故称。

蝶恋花

醉别西楼醒不记，春梦秋云[1]，聚散真容易[2]。斜月半窗还少睡，画屏闲展吴山翠[3]。

衣上酒痕诗里字，点点行行，总是凄凉意。红烛自怜无好计，夜寒空替人垂泪[4]。

【注解】

1春梦秋云：白居易《花非花》诗："来如春梦不多时，去似秋云无觅处。"

喻指人生聚散离合太容易。 2聚散：此为偏义复词，偏指"散"。 3吴山：在今杭州西湖东南侧，此处代指屏风上描绘的江南风景。 4夜寒空替人垂泪：用杜牧《赠别》"蜡烛有心还惜别，替人垂泪到天明"诗意，借此渲染作者内心的泣痛之悲。

鹧鸪天

　　彩袖殷勤捧玉钟[1]，当年拚却醉颜红[2]。舞低杨柳楼心月，歌尽桃花扇底风[3]。

　　从别后，忆相逢，几回魂梦与君同。今宵剩把银釭照[4]，犹恐相逢是梦中。

【注解】

　　1彩袖：指穿着彩衣的歌女。玉钟：酒杯的美称。 2拚却：心甘情愿，毫不顾惜。 3舞低杨柳楼心月，歌尽桃花扇底风：指歌舞欢娱极度忘情尽兴，以致不知不觉杨柳掩映的阁楼上月儿渐渐西沉，伴歌而动的桃花扇再也无力摇曳。 4剩把：尽把，喻指反复多次。银釭（gāng）：银灯，泛指灯烛。

生查子

　　关山魂梦长[1]，塞雁音书少。两鬓可怜青[2]，只为相思老。归傍碧纱窗，说与人人道[3]。真个别离难，不似相逢好[4]。

【注解】

1关山：泛指山川关隘。 2可怜：非常、很，这里有自叹自怜之意，一作"可人"。青：霜白色。 3人人：一作"人儿"，指所爱的人。 4真个：真正、实在。

木兰花

东风又作无情计[1]，艳粉娇红吹满地[2]。碧楼帘影不遮愁，还似去年今日意。

谁知错管春残事[3]，到处登临曾费泪。此时金盏直须深[4]，看尽落花能几醉。

【注解】

1东风又作无情计：东风又起了冷酷无情的念头。"东风"有拟人之意。 2艳粉娇红：指落花。 3春残事：春去花落，多情惜春之事。 4此时金盏直须深：意指尽管纵情饮酒，醉深可忘愁。金盏：华美的酒樽。直须：只管、尽管。

木兰花

秋千院落重帘暮[1]，彩笔闲来题绣户[2]。墙头丹杏雨余花，门外绿杨风后絮[3]。

朝云信断知何处？应作襄王春梦去[4]。紫骝认得旧游踪[5]，嘶过画桥东畔路。

【注解】

1秋千院落：架着秋千的后宅院落。在此借故地旧景，追念旧情。 2绣户：雕绘华美的绣房门户，代指女子居所。 3雨余花、风后絮：分别指代当年墙内的女子和今日墙外的自己。 4朝云：代指心中所念之人。襄王春梦：典出宋玉《高唐赋序》，楚襄王尝游高唐，昼梦神女荐枕，临去，有"旦为行云，暮为行雨"语，故为立庙，号曰朝云。 5紫骝：泛指骏马。此句移情于马，借此衬托人的心境，颇为精妙，历来备受推崇。

清平乐

留人不住¹，醉解兰舟去。一棹碧涛春水路²，过尽晓莺啼处。渡头杨柳青青³，枝枝叶叶离情。此后锦书休寄，画楼云雨无凭⁴。

【注解】

1"留人不住"的"人"，系指作者自己，而挽留者，则是与作者有情的那位女子。 2棹：船桨。 3杨柳：柳者，留也，故古人有折柳赠离别的习俗。 4锦书：情书。云雨：指代男女事。此末两句以怨写爱，以无情证相思，陡升的转折令人不禁掩卷心碎。

阮郎归¹

旧香残粉似当初，人情恨不如。一春犹有数行书，秋来书更疏²。

衾凤冷，枕鸳孤[3]，愁肠待酒舒。梦魂纵有也成虚，那堪和梦无[4]。

【注解】

1阮郎归：词牌名，又名宴桃源、醉桃源等。双调四十七字，上、下片各四平韵。　2疏：少。　3衾凤、枕鸳：即凤衾、鸳枕，此处为修辞而倒装。前者指绣有凤凰图案的锦被，后者指绣有鸳鸯图案的枕头。　4那堪和梦无：怎能承受连幻梦都没有的孤苦之境。

阮郎归

天边金掌露成霜[1]，云随雁字长[2]。绿杯红袖趁重阳[3]，人情似故乡[4]。

兰佩紫，菊簪黄[5]，殷勤理旧狂[6]。欲将沉醉换悲凉，清歌莫断肠！

【注解】

1天边金掌露成霜：汉武帝曾于建章宫神明台作承露盘，立铜仙人，舒掌以接甘露，据说饮之可以长生不老。露为霜：白露为霜，意在点明季节。　2雁字：群雁飞行时常排成"人"字或"一"字，故称雁字。　3绿杯：指绿酒。红袖：指女子。　4人情：习俗、风情。　5兰佩紫，菊簪黄：即佩紫兰、簪黄菊，典型的重阳景致，系修辞倒装。　6殷勤理旧狂：极力重新回忆当初的狂放豪饮之态，但却颇为力不从心。

六幺令[1]

　　绿阴春尽，飞絮绕香阁[2]。晚来翠眉宫样，巧把远山学[3]。一寸狂心未说，已向横波觉[4]。画帘遮匝[5]，新翻曲妙[6]，暗许闲人带偷掐[7]。

　　前度书多隐语，意浅愁难答。昨夜诗有回文[8]，韵险还慵押[9]。都待笙歌散了，记取来时霎[10]。不消红蜡[11]，闲云归后，月在庭花旧阑角。

【注解】

　　1 六幺令：原为唐教坊曲名，后用作词调。据《燕乐考原》："幺"指细小而繁急之声，而此曲共用六种幺调，故曰六幺。　2 香阁：阁楼闺房。　3 翠眉：古时女子常以青黛色画眉。宫样：宫里流行的式样。远山：眉形式样，细长如远山。　4 横波：形容眼睛左顾右盼，如水波横流。　5 遮匝(zā)：遮蔽、围挡。　6 新翻曲：按照旧曲谱填入新词的歌曲。　7 偷掐(qiā)：偷学弹奏指法。掐：以手指叩弦默记声调。　8 回文：诗词字句回环往返读之，皆能成文。　9 韵险：韵字艰僻难押。慵：懒。押：押韵。　10 霎：某一刻、瞬间。　11 不消：不需要。

御街行

　　街南绿树春饶絮[1]，雪满游春路[2]。树头花艳杂娇云[3]，树底人家朱户[4]。北楼闲上[5]，疏帘高卷[6]，直见街南树。

　　阑干倚尽犹慵去，几度黄昏雨。晚春盘马踏青苔[7]，曾傍绿阴深驻[8]。落花犹在，香屏空掩，人面知何处[9]？

【注解】

　　1饶:多、丰富。　2雪:形容柳絮之白、之盛。　3娇云:形容花色斑斓娇艳,如五彩云霞。　4朱户:富贵人家。　5闲上:漫无目的,随意登临。　6疏帘:窗帘。　7盘马:跨马盘旋。　8深驻:长久停留。　9人面知何处:唐崔护《题都城南庄》有"人面不知何处去,桃花依旧笑春风"语,作者在此巧妙引用,伤感怀旧之情顿时跃然纸上。

虞美人¹

　　曲阑干外天如水²,昨夜还曾倚。初将明月比佳期,长向月圆时候、望人归。

　　罗衣着破前香在³,旧意谁教改。一春离恨懒调弦,犹有两行闲泪⁴、宝筝前。

【注解】

　　1虞美人:原为唐教坊曲名,后用为此调。最早据说是用于吟咏项羽宠妃虞姬,故得此名。　2曲阑干:曲折的栏杆。　天如水:渲染夜色,代指冷清。　3罗衣:与心上人欢聚时所着之衣,故不舍脱下。　4闲泪:徒劳无功的眼泪。言外之意是不管如何伤心,薄情人也不会再回头了。

留春令

　　画屏天畔¹,梦回依约²,十洲云水³。手撚红笺寄人书⁴,写无限、伤春事。

别浦高楼曾漫倚[5],对江南千里。楼下分流水声中,有当日、凭高泪。

【注解】

1天畔:花屏的顶端部分,一指梦中的依稀景象。 2依约:隐约,不分明。 3十洲:传说中神仙所居住的十座海岛,在八方大海之中。汉东方朔有《海内十洲记》,以祖、瀛、玄、炎、长、元、流、生、凤麟、聚窟为十洲。 4手撚:一作"捻",指轻轻抚弄、揉搓。 5别浦:分别的水滨处。一指银河,因其为牛郎、织女隔绝之地。 漫倚:漫不经心、无端倚靠。

思远人[1]

红叶黄花秋意晚,千里念行客。飞云过尽,归鸿无信,何处寄书得?

泪弹不尽临窗滴,就砚旋研墨[2]。渐写到别来,此情深处,红笺为无色[3]。

【注解】

1《词谱》:"调见《小山乐府》'千里念行客'句,取其意为名",指的正是晏几道这首词。 2就砚旋研墨:旋,当即,临时。此句承上句,指索性以泪代水,就此磨墨。 3红笺为无色:因泪如雨下,至笺色之红由于泪湿而淡。

苏　轼

苏轼（1036—1101），字子瞻，号东坡居士，眉山（今四川眉山）人。与其父苏洵、其弟苏辙并称"三苏"，同属"唐宋八大家"之列。嘉祐二年（1057）进士，哲宗时任翰林学士，官至礼部尚书、兵部尚书。一生仕途曲折，因反对王安石新法，被视为旧党，多次遭贬，直至晚年还被贬逐到"饮食不具、药石无有"的海南儋州，赦归次年病死于常州。然苏轼一生性格豪放，达观脱俗，始终能以超然物外的旷达态度坚持对人生美好事物的进取和追求，坚持对民生疾苦的无限同情与关注。过人的阅历、气度及卓越才华，最终使他成为宋代最伟大的文学家、书画家，并在词作上开豪放派之先河。在他的笔下，"无意不可入，无事不可言"，大大拓展了词境，对后世影响深远。苏轼之词虽以豪放著称，实则风格多样，题材广泛，个性鲜明，或豪放壮丽，或飘逸洒脱，或清新隽秀，或深婉缠绵，种种均能从心所欲，挥洒自如。著有《东坡全集》《东坡志林》《东坡乐府》《东坡词》等，现存词三百余首。

水调歌头

丙辰中秋，欢饮达旦，大醉，作此篇，兼怀子由[1]。

明月几时有[2]，把酒问青天。不知天上宫阙，今夕是何年。我欲乘风归去，惟恐琼楼玉宇[3]，高处不胜寒[4]。起舞弄清影，何似在人间？

转朱阁，低绮户，照无眠[5]。不应有恨，何事长向别时圆[6]？人有悲欢离合，月有阴晴圆缺，此事古难全。但愿人长久，千里共婵娟[7]。

【注解】

1 丙辰：宋神宗熙宁九年（1076）。子由：苏轼之弟苏辙，字子由。 2 明月几时有：李白有诗《把酒问月》："青天有月来几时？我今停杯一问之。" 3 惟：一作"又"。琼楼玉宇：指想象中的月中宫殿。 4 不胜（shēng）寒：经受不了寒冷。 5 转朱阁，低绮（qǐ）户，照无眠：转、低、照，三字层层递进，既写月亮的活动轨迹，又暗寄人物的情感线索。朱阁：华美的阁楼。绮户：雕花的门窗。无眠：因有心事而失眠，此处指失眠之人。 6 不应有恨，何事长向别时圆：似以设问之句埋怨月亮，为何总在世人离别之时独自圆满，令人更加伤心。 7 婵娟：本指美好的事物、美好的样子，此处指代明月。

水龙吟 次韵章质夫《杨花词》[1]

似花还似非花，也无人惜从教坠[2]。抛家傍路，思量却是，无情有思[3]。萦损柔肠[4]，困酣娇眼[5]，欲开还闭。梦随风万里，寻郎去处，又还被、莺呼起[6]。

不恨此花飞尽，恨西园、落红难缀[7]。晓来雨过，遗踪何在？一池萍碎[8]。春色三分，二分尘土，一分流水。细看来，不是杨花，点点是离人泪。

【注解】

1次韵：又叫步韵，即依照别人诗词的韵脚来唱和。章质夫：名楶（jié），字质夫，苏轼同僚及好友，曾作咏杨花词《水龙吟》，被传诵一时。苏轼和以此词，亦咏杨花。杨花：柳絮。 2从：任凭、任由。教：使。坠：飘零、坠落。 3无情有思（sì）：草木道是无情却有情。韩愈诗："杨花榆荚无才思，惟解漫天作雪飞。"杜甫诗："落絮游丝亦有情。" 4萦损柔肠：因愁思萦绕，愁坏肚肠，此处柔肠喻细而柔软的杨柳枝条。 5因酣娇眼：因心中有牵挂，致慵倦睁眼。娇眼，柳眼。柳叶初生似睡眼初展，故古人诗词常称柳叶为柳眼。 6梦随风万里三句，以主人公梦境比柳絮，一排空灵无奈，纸短情长之憾。金昌绪《春怨》有云："打起黄莺儿，莫教枝上啼。啼时惊妾梦，不得到辽西。" 7西园：泛指花园。落红：落花。缀：连接、连缀。 8萍碎：苏轼原注："杨花落水为浮萍，验之信然。"

永遇乐

彭城夜宿燕子楼，梦盼盼，因作此词[1]。

明月如霜，好风如水，清景无限。曲港跳鱼，圆荷泻露，寂寞无人见。纮如三鼓[2]，铿然一叶[3]，黯黯梦云惊断[4]。夜茫茫、重寻无处，觉来小园行遍。

天涯倦客，山中归路，望断故园心眼。燕子楼空，佳人何在？空锁楼中燕。古今如梦，何曾梦觉，但有旧欢新怨[5]。异时对、黄楼夜景，为余浩叹[6]。

1 彭城：今江苏徐州。燕子楼，唐代某张姓尚书侍妾关盼盼居所。白居易《燕子楼诗序》："徐州故尚书有爱妓曰盼盼，善歌舞，雅多风态。……尚书既殁，归葬东洛，而彭城有张氏旧第，第中有小楼名燕子，盼盼念旧爱而不嫁，居是楼十余年。" 2 统（dǎn）如：击鼓声。此句意为三更鼓已敲响。统：古代冠冕两旁用来悬挂塞耳玉坠的带子。 3 铿（kēng）：响亮金石声，此处指夜静时秋叶坠地之声。 4 黯黯：形容心绪黯然。梦云：用楚襄王梦巫山神女典，典出宋玉《高唐赋》，见前注。 5 古今如梦三句：感慨古往今来，新欢旧怨，一切不过一场梦而已。 6 异时三句：指将来的后人，一定也会如今日我登燕子楼凭吊关盼盼一般，同样登黄楼为我感慨长叹。黄楼：在彭城东门，为苏轼知徐州时所建。

洞仙歌

余七岁时，见眉州老尼，姓朱，忘其名，年九十岁。自言尝随其师入蜀主孟昶宫中[1]，一日大热，蜀主与花蕊夫人夜纳凉摩诃池上[2]，作一词，朱具能记之。今四十年，朱已死久矣，人无知此词者，但记其首两句，暇日寻味，岂《洞仙歌令》乎[3]？乃为足之云[4]。

冰肌玉骨，自清凉无汗。水殿风来暗香满[5]。绣帘开、一点明月窥人，人未寝，欹枕钗横鬓乱[6]。

起来携素手，庭户无声，时见疏星渡河汉[7]。试问夜如何？夜已三更，金波淡[8]、玉绳低转[9]。但屈指、西风几时来，又不道[10]、流年暗中偷换。

【注解】

1孟昶（chǎng）：五代时后蜀国君，工声曲，好填词，生活奢靡，在位三十一年，后兵败降宋。　2花蕊夫人：孟昶宠妃。摩诃池：后蜀宣华苑宫池，相传故址在今成都城内。摩诃：梵语，有大、多、美好之意。　3洞仙歌令：即洞仙歌。其调首见于苏轼《东坡词》，又名《洞仙歌》《羽仙歌》等。　4足：补足、补齐。　5水殿：摩诃池边的便殿。　6敧：古同"攲"，倚、靠之意。　7河汉：天河、银河。　8金波：移动的月光。　9玉绳：星名，此处泛指星光。据说位于北斗星斗柄三星之北。　10不道：不曾想、不觉。

卜算子 黄州定惠院寓居作[1]

缺月挂疏桐[2]，漏断人初静[3]。谁见幽人独往来，缥缈孤鸿影[4]。

惊起却回头，有恨无人省[5]。拣尽寒枝不肯栖，寂寞沙洲冷[6]。

【注解】

1黄州：今湖北黄冈。定惠院：即定慧寺，在黄冈县东南。寓居：暂居、寄居。　2缺月：未圆之月。疏桐：枝叶稀疏的梧桐。　3漏断：漏壶里水滴光了，指深夜。漏壶，古代用水计时的器具。　4幽人、孤鸿：指幽居、孤单之人，这里指作者自己，同时又以孤鸿引出下片。　5省（xǐng）：了解，明白。　6"拣尽寒枝不肯栖"二句：孤鸿把冬季里所有可以栖息落脚的树枝都选遍了，还是不肯轻易驻足。此句一语双关，颇有深意，暗示了作者不肯滥官媚俗的高洁志向。

青玉案 和贺方回韵，送伯固归吴中[1]

三年枕上吴中路，遣黄犬[2]、随君去。若到松江呼小渡，莫惊鸳鹭。四桥尽是、老子经行处[3]。

《辋川图》上看春暮[4]，常记高人右丞句。作个归期天定许。春衫犹是，小蛮针线[5]，曾湿西湖雨。

【注解】

1 贺方回：即贺铸。伯固：苏坚，字伯固，苏轼同族中人。元祐四年（1089）从苏轼于杭州三年。　2 黄犬：《晋书》中载：晋陆机有犬名黄耳，陆在洛阳时，久无家问，曾系书于犬颈，送致松江家中，并将回信带回。　3 老子：作者自称，宋时习语，同"老夫"。四桥：宋时苏州有四座桥。　4《辋川图》：唐时王维隐居辋川别墅，曾于蓝田清凉寺壁上画辋川图。此处指作者有思乡归隐之意。　5 小蛮：唐白居易有姬樊素善歌，妓小蛮善舞，有诗云："樱桃樊素口，杨柳小蛮腰。"此处代指苏轼小妾。

临江仙 夜归临皋[1]

夜饮东坡醒复醉[2]，归来仿佛三更[3]。家童鼻息已雷鸣，敲门都不应，倚杖听江声。

长恨此身非我有[4]，何时忘却营营[5]。夜阑风静縠纹平[6]，小舟从此逝，江海寄余生[7]。

【注解】

1 此文作于元丰五年（1082），当时苏轼因"乌台诗案"遭贬，寓居黄州（今湖北黄冈）城南临皋亭。　2东坡：地名，在黄州之东。苏轼曾盖房舍"雪堂"等五间在此居住，因此地名为"东坡"，遂从此自号"东坡居士"。　3三更：古时夜分五更，三更已是深夜。　4此身非我有：《庄子·知北游》中，舜问丞："道可得而有乎？"曰："汝身非汝有也，汝何得有夫道？"舜曰："吾身非吾有也，孰有之哉？"曰："是天地之委形也。"此处作者意在抒发自己不能按理想去生活的苦闷心情。　5营营：来往匆忙，频繁纷扰的样子。这里指为私利奔走操劳。《庄子·庚桑楚》有"无使汝思虑营营"语，意为不要因俗世过虑。作者因政治上屡受打击、排挤，不由流露出向道家思想寻求超脱快意的念头。　6夜阑：夜深。縠（hú）纹：形容水中细小的纹。縠，原指一种带绉纹的纱。　7江海寄余生：将余生寄于江海，意为想要隐居江湖。

定风波

三月七日，沙湖道中遇雨[1]，雨具先去[2]，同行皆狼狈，余独不觉。已而遂晴，故作此词。

莫听穿林打叶声，何妨吟啸且徐行[3]。竹杖芒鞋轻胜马[4]，谁怕[5]？一蓑烟雨任平生[6]。

料峭春风吹酒醒[7]，微冷，山头斜照却相迎[8]。回首向来萧瑟处[9]，归去，也无风雨也无晴[10]。

【注解】

1三月七日：系神宗元丰五年（1082）三月七日，时苏轼谪居黄州。沙湖：在黄冈东三十里，苏轼当时在那里新买了些许田地，当时本欲去看田，结果途中遇雨。　2雨具先去：指携雨具的人先行出发了。　3吟啸：拉长高声吟诗，表达了一种随遇而安旷达洒脱的心境。 4芒鞋：芒草编织的草鞋。轻胜马：比骑马还要轻捷。 5谁怕：有何可怕，即不怕（风风雨雨）。 6一蓑烟雨任平生：一身蓑衣，足以在风雨中泰然傲立一生。蓑，蓑草编织的防雨披风。 7料峭：形容寒意。 8斜照：阳光由西边照射过来。 9萧瑟：风雨吹打树叶声。萧瑟处，遇雨之处。 10也无风雨也无晴：信步归去，既无所谓风雨，也无所谓天晴。意指只要没有风雨，也就不必期盼天晴了。

江城子 乙卯正月二十日夜记梦[1]

十年生死两茫茫[2]，不思量[3]，自难忘。千里孤坟[4]，无处话凄凉。纵使相逢应不识[5]，尘满面、鬓如霜[6]。

夜来幽梦忽还乡[7]，小轩窗[8]，正梳妆。相顾无言[9]，惟有泪千行。料得年年肠断处[10]，明月夜、短松冈[11]。

【注解】

1乙卯：宋神宗熙宁八年（1075），苏轼当时四十岁，时在密州（山东诸城）太守任上。 2十年：指苏轼结发妻子王弗去世已十年。王弗卒于宋英宗治平二年（1065）五月，到作词时恰好十年。生：指苏轼。死：指王弗。两茫茫：夫妻二人生死两隔，音讯渺茫。 3思量：想念。"量"按格律应念平声liáng。 4千里孤坟：王弗葬地在四川眉山苏轼家乡，与其任所山东密州相隔遥远，故称"千里"。孤坟：孟启《本事诗·徵异第五》载张姓妻孔氏赠夫诗："欲知肠断处，明月照孤坟。" 5应不识：应该不会再认识我。 6尘满面、鬓如霜：风尘满面，鬓发如霜，形容年老憔悴。 7幽梦：梦境隐约，故云幽梦。 8小轩窗：指小室的窗前。轩：门窗。 9相顾：互相对望。 10料得：料想，想必。肠断：形容极度悲伤。 11明月夜、短松冈：明月高照，长满矮松树的坟山，指苏轼葬妻之地。短松：矮松。

贺新郎

乳燕飞华屋[1]，悄无人、槐阴转午，晚凉新浴。手弄生绡白团扇[2]，扇手一时似玉[3]。渐困倚、孤眠清熟。帘外谁来推绣户？枉教人、梦断瑶台曲，又却是、风敲竹。

石榴半吐红巾蹙[4]，待浮花、浪蕊都尽[5]，伴君幽独。秾艳一枝细看取，芳意千重似束。又恐被、西风惊绿[6]，若待得、君来向此，花前对酒不忍触。共粉泪、两簌簌[7]。

【注解】

1乳燕飞华屋：一说为"乳燕栖华屋"。 2白团扇：相传晋中书令王珉与嫂婢有情，珉好执白团扇，婢作《白团扇歌》赠珉。 3扇手似玉：相传晋代王衍风姿卓然，每执白玉柄尘尾讲玄，玉柄与手同色。 4红巾蹙（cù）：白居易《石榴诗》："山榴花似结红巾。" 5浮花、浪蕊：以女子之形态比喻争芳斗妍的繁花，以反衬石榴花之幽独。韩愈诗："浮花浪蕊镇长有。" 6西风惊绿：指西风乍起，石榴花凋谢，只剩绿叶。 7两簌簌：指花瓣与眼泪一同掉落。

秦 观

秦观（1049—1100），字少游，又字太虚，号淮海居士，高邮（今属江苏）人，"苏门四学士"之一，元丰八年（1085）进士。他曾以文章受苏轼赏识，称他有"屈、宋之才"；后又经苏轼举荐，授秘书省正字、兼国史院编修官。绍圣初，苏轼等人获罪，秦观也先后被贬处州、郴州、雷州等地，后病卒于放还途中的藤州（今广西藤县）的路上。秦观以词作负有盛名，是北宋婉约派代表词人。他的词多写男女恋情及感伤身世，尤善于"将身世之感打并入艳情"（周济《宋四家词选》），对后世词家如周邦彦、李清照等影响深刻。其词风格婉约清丽，纤细动人，情韵兼胜，有《淮海词》。

望海潮

梅英疏淡[1]，冰澌溶泄[2]，东风暗换年华[3]。金谷俊游[4]，铜驼巷陌[5]，新晴细履平沙[6]。长记误随车[7]，正絮翻蝶舞，芳思交加[8]。柳下桃蹊[9]，乱分春色到人家。

西园夜饮鸣笳[10]，有华灯碍月，飞盖妨花[11]。兰苑未空[12]，行人渐老，重来是事堪嗟[13]。烟暝酒旗斜[14]。但倚楼极目，时见栖鸦。无奈归心，暗随流水到天涯。

【注解】

1梅英：梅花。疏淡：稀疏色淡。 2冰澌（sī）溶泄：冰块融化流动。澌，流冰。 3东风暗换年华：东风吹起，不知不觉又换了年月。 4金谷：晋石崇在洛阳筑有别墅，名金谷园，为其奢侈饮宴之所。俊游：游览胜地。一指同游的好友。 5铜驼：洛阳街名，系当时著名游乐之地。巷陌：街道。在此皆指游览胜地。 6细履平沙：漫步于尚未长草的平坦小路。 7长记：通"常记"。误随：身不由己地尾随陌生少女的车子。 8芳思交加：春天引发复杂的情思。芳思，情思。 9桃蹊：开满桃花的小路。 10西园：宋时洛阳有董氏西园为著名的园林,后世泛指风景优美的园林。作者曾于此参加过一次对苏轼和苏门文士等数人的宴请。鸣笳:奏乐助兴。胡笳是古代传自北方少数民族的一种乐器。 11有华灯碍月,飞盖妨花:华丽的灯火妨碍欣赏月色,高耸的车篷遮挡了繁花。飞盖,飞驰的车。盖,车顶。 12兰苑:指西园,后泛指园林的美称。未空:未荒芜。 13是事:事事。 14烟暝:烟雾弥漫,天色昏暗。

八六子

倚危亭。恨如芳草¹,萋萋刬尽还生²。念柳外青骢别后,水边红袂分时³,怆然暗惊。

无端天与娉婷⁴。夜月一帘幽梦,春风十里柔情。怎奈向⁵、欢娱渐随流水,素弦声断,翠绡香减。那堪片片飞花弄晚,濛濛残雨笼晴。正销凝⁶,黄鹂又啼数声⁷。

【注解】

1恨如芳草:李煜词:"离恨恰如芳草,渐行渐远还生。" 2刬（chǎn）:同"铲",铲除。 3袂（mèi）:衣袖。4娉（pīng）婷:形容女子婀娜美好之姿,此处代指美人。 5怎奈向:怎奈何。 6销凝:销魂凝思。 7此句化用杜牧词《八六子》句:"正销魂,梧桐又移翠阴。"

满庭芳

　　山抹微云，天粘衰草 ¹，画角声断谯门 ²。暂停征棹 ³，聊共引离尊 ⁴。多少蓬莱旧事 ⁵，空回首，烟霭纷纷 ⁶。斜阳外，寒鸦万点，流水绕孤村。

　　消魂 ⁷，当此际，香囊暗解，罗带轻分 ⁸。漫赢得、青楼薄幸名存 ⁹。此去何时见也？襟袖上、空惹啼痕。伤情处，高城望断 ¹⁰，灯火已黄昏。

【注解】

　　1 山抹微云，天粘衰草：薄云横绕山腰，像是涂抹上去一样，远处的枯草紧连着天际。此二句系描写暮天景色，抹、粘二字向为词家称道。粘，一作"连"。　2 画角：古时涂有彩色的军中号角。谯（qiáo）门：城楼之门，可以眺望远方，今城市所存鼓楼，正与谯门同。　3 征棹：远行之船。棹，船桨。　4 引离尊：饮别离之酒。引，持、举。尊，同樽，酒器，即酒杯。　5 蓬莱旧事：《艺苑雌黄》有："程公辟守会稽，少游客焉，馆之蓬莱阁。一日，席上有所悦，自尔眷眷，不能忘情，因赋长短句，所谓'多少蓬莱旧事，空回首，烟霭纷纷'也。"蓬莱阁，在今浙江绍兴龙山下。　6 烟霭纷纷：形容烟雾迷蒙、缥缈。　7 消魂：形容极度伤心。　8 香囊：装香物的小袋，古人佩在身上的一种装饰物，男女常交换所佩带的香囊、罗带以定情。繁钦《定情诗》："何以致叩叩，香囊系肘后。"罗带：丝织的袋子，又称香罗带，为女子饰物，象征相爱。韦庄词有"罗带结同心"。罗带轻分：表示离别。　9 漫赢得、青楼薄幸名存：杜牧诗"十年一觉扬州梦，赢得青楼薄幸名"。漫，一作"谩"，徒自、空。薄幸，薄情。　10 望断：从远望的视线中消逝。

满庭芳

晓色云开，春随人意，骤雨才过还晴。古台芳榭，飞燕蹴红英[1]。舞困榆钱自落[2]，秋千外、绿水桥平。东风里，朱门映柳，低按小秦筝。

多情，行乐处，珠钿翠盖，玉辔红缨。渐酒空金榼[3]，花困蓬瀛[4]。豆蔻梢头旧恨[5]，十年梦、屈指堪惊。凭阑久，疏烟淡日，寂寞下芜城[6]。

【注解】

1蹴（cù）：踢，踏。杜甫有诗："燕蹴飞花落舞筵。" 2榆钱：榆树上的榆荚成串如钱，因称榆钱，可食用。 3金榼（kē）：古时盛酒的器具。 4蓬瀛：指蓬莱、瀛州，皆为传说中的海上仙山。 5豆蔻梢头：杜牧诗："娉娉袅袅十三余，豆蔻梢头二月初。春风十里扬州路，卷上珠帘总不如。"豆蔻：本为多年生常绿草本植物。文学作品中常以其比喻十三四岁的少女。 6芜城：指扬州。南朝宋竟陵王据广陵而反，兵败后扬州一片荒芜，鲍照曾作《芜城赋》以凭吊。

减字木兰花

天涯旧恨，独自凄凉人不问。欲见回肠，断尽金炉小篆香[1]。黛蛾长敛[2]，任是春风吹不展。困倚危楼，过尽飞鸿字字愁[3]。

【注解】

1回肠：司马迁《报任安书》中曰："是以肠一日而九回。"后常以"回肠"

比喻忧愁难解。篆香：古时盘香，因环似篆文故称。　2黛蛾：黛，青黑色。古时常以黛色画眉，故称。　3字字：指雁飞行在空中排成的"雁字"。

浣溪沙

漠漠轻寒上小楼¹，晓阴无赖似穷秋²，淡烟流水画屏幽。
自在飞花轻似梦，无边丝雨细如愁，宝帘闲挂小银钩。

【注解】

1漠漠：静静的。　2无赖：无奈之意，没有来由。穷秋：深秋、晚秋。

阮郎归

湘天风雨破寒初，深沉庭院虚。丽谯吹罢小单于¹，迢迢
清夜徂²。

乡梦断，旅魂孤，峥嵘岁又除³。衡阳犹有雁传书，郴阳
和雁无⁴。

【注解】

1丽谯（qiáo）：即谯楼，城门楼。小单（chán）于：唐代大角曲名，有《大单于》、《小单于》。　2徂（cú）：往，过去。　3峥嵘：凛冽，艰险。杜甫有诗："峥嵘岁又除。"　4郴（chēn）阳：今湖南郴县，在衡阳南。

晁端礼

晁端礼（1046—1113），名一作"元礼"，字次膺。祖居清丰（今属河南）人，后迁居彭城（今江苏徐州）。熙宁六年（1073）进士，曾为县令，后因得罪上官而遭废徙三十年之久。政和三年（1113），由蔡京举荐进京，作《并蒂芙蓉词》献上，得到徽宗称赏，授承事郎，未及供职即卒。其词风谐婉清雅。有《闲斋琴趣》六卷。

绿头鸭

晚云收，淡天一片琉璃。烂银盘[1]、来从海底，皓色千里澄辉。莹无尘、素娥淡伫[2]，静可数、丹桂参差[3]。玉露初零，金风未凛，一年无似此佳时。露坐久、疏萤时度，乌鹊正南飞[4]。瑶台冷，阑干凭暖，欲下迟迟。

念佳人、音尘别后，对此应解相思。最关情、漏声正永[5]，暗断肠、花阴偷移。料得来宵，清光未减，阴晴天气又争知。共凝恋、如今别后，还是隔年期。人强健，清尊素影，长愿相随。

【注解】

1 烂银盘：卢仝诗《月蚀》："烂银盘从海底出，出来照我草屋东。"烂银，形容月亮灿烂如银。　2 素娥淡伫：素娥，即嫦娥，指代月亮。淡伫，素装伫立。　3 丹桂：传说月亮中有桂花树。　4 乌鹊正南飞：曹操《短歌行》："月明星稀，乌鹊南飞。"　5 漏声正永：更漏之声已久，形容夜深而漫长。

赵令畤

赵令畤（zhì，1051—1134），字德麟，号聊复翁。宋太祖次子燕王德昭之玄孙。哲宗元祐六年（1091）苏轼知颍州，赵时为签书公事，两人多有唱和。苏轼遭贬，赵亦连坐，被废十年。高宗绍兴初，袭封安定郡王。其词风婉柔，略带感伤。存词三十余首，有《聊复集》，

蝶恋花

欲减罗衣寒未去，不卷珠帘，人在深深处。红杏枝头花几许？啼痕止恨清明雨[1]。

尽日沉烟香一缕[2]。宿酒醒迟，恼破春情绪。飞燕又将归信误，小屏风上西江路。

【注解】

1啼痕：比喻雨中红杏，宛若啼痕。 2沉烟香：沉香，植物名，可作熏香。

蝶恋花

卷絮风头寒欲尽，坠粉飘香，日日红成阵。新酒又添残酒困，今春不减前春恨。

蝶去莺飞无处问，隔水高楼，望断双鱼信¹。恼乱横波秋一寸²，斜阳只与黄昏近。

【注解】

1双鱼：即书信。用鱼传尺素之典故。古诗："客从远方来，遗我双鲤鱼。呼儿烹鲤鱼，中有尺素书。" 2恼乱：一作"撩乱"。秋一寸：指眼睛。

清平乐

春风依旧，着意隋堤柳¹。搓得鹅儿黄欲就²，天气清明时候。去年紫陌青门³，今宵雨魄云魂⁴。断送一生憔悴，只消几个黄昏？

【注解】

1隋堤柳：隋炀帝开通济渠，后称"隋堤"，堤上沿渠多植桃柳。 2鹅儿黄：小鹅毛色嫩黄，形容新发芽的柳条。 3紫陌青门：指繁华街道和妓馆，泛指游乐之处。 4雨魄云魂：意为云雨之欢，只能付诸于想象。

晁补之

晁补之（1053—1110），字无咎，号归来子，济州巨野（今属山东）人。元丰二年（1079）进士，出身名门，文学世家，乃"苏门四学士"之一。累任秘书省正字，官至礼部郎中。崇宁间屡遭贬黜，晚年归隐。词风雄健，近于苏轼，虽旷达不及苏词，亦不鲜豪放悲壮之妙句。有《晁氏琴趣外篇》六卷。

水龙吟 次韵林圣予《惜春》

问春何苦匆匆？带风伴雨如驰骤。幽葩细萼，小园低槛，雍培未就¹。吹尽繁红，占春长久，不如垂柳。算春常不老，人愁春老，愁只是、人间有。

春恨十常八九。忍轻孤、芳醪经口²。那知自是、桃花结子，不因春瘦。世上功名，老来风味，春归时候。最多情犹有，尊前青眼³，相逢依旧。

【注解】

1 雍培：给植物施肥填土。 2 芳醪（láo）：即美酒。醪，浊酒。 3 青眼：形容喜悦的眼神。相传晋代阮籍能做"青白眼"，不喜之人，则以白眼视之，喜爱之人，则常以青眼视之。

忆少年 别历下¹

无穷官柳，无情画舸²，无根行客。南山尚相送，只高城人隔。罨画园林溪绀碧³，算重来、尽成陈迹。刘郎鬓如此⁴，况桃花颜色。

【注解】

1 历下：指山东历城县。 2 画舸（gě）：有彩绘装饰的大船。 3 罨（yǎn）画：画家称杂彩色之画为罨画。绀（gàn）：红青色。 4 刘郎：唐刘禹锡被贬后召回作诗："玄都观里桃千树，尽是刘郎去后栽。"此处为作者自比。

洞仙歌 泗州中秋作 [1]

　　青烟幂 [2] 处，碧海飞金镜 [3]。永夜闲阶卧桂影。露凉时，零乱多少寒螀 [4]，神京远，惟有蓝桥路近 [5]。

　　水晶帘不下，云母屏开 [6]，冷浸佳人淡脂粉。待都将许多明，付与金尊，投晓共流霞倾尽 [7]。更携取胡床上南楼 [8]，看玉做人间，素秋千顷。

【注解】

　　1 泗州：今属江苏，盱眙对岸。　2 幂（mì）：覆盖，遮盖。　3 碧海：比喻蓝天。金镜：比喻明月。　4 寒螀（jiāng）：即寒蝉。　5 蓝桥：陕西蓝田县东南，传说为唐裴航遇仙女云英之处。　6 云母屏：用云母石做装饰的屏风。　7 流霞：传说中神仙所饮之酒，此处指美酒。　8 胡床：当时对椅子的别称。

晁冲之

　　晁冲之（生卒年不详），字叔用，济州巨野（今属山东）人。为晁补之的堂弟，早年师从陈师道学诗。举进士不第，授承务郎，后在阳翟（今河南禹县）具茨山隐居，人称"具茨先生"。其词清朗，构思新奇。存词十六首，赵万里辑存《晁叔用词》一卷。

临江仙

忆昔西池池上饮[1]，年年多少欢娱。别来不寄一行书，寻常相见了，犹道不如初。

安稳锦衾今夜梦，月明好渡江湖。相思休问定何如。情知春去后，管得落花无？

【注解】

1西池：即金明池，时为汴京名胜。

舒　亶

舒亶（dǎn，1041—1103），字信道，号懒堂。明州慈溪（今属浙江）人。治平二年（1065）举进士第一。曾与李定一同弹劾苏轼作诗讥讽权势，酿成"乌台诗案"。官至御史中丞，后因罪被斥。徽宗朝，复出官至龙图阁待制。其词以小令见长，词风细致淡雅。今有赵万里辑《舒学士词》一卷。

虞美人

芙蓉落尽天涵水，日暮沧波起。背飞双燕贴云寒，独向小楼东畔倚阑看。

浮生只合尊前老，雪满长安道。故人早晚上高台[1]，寄我江南春色一枝梅。

【注解】

1 早晚：有每日的意思，多暗含有所期待之意。

朱　服

朱服（1048—？）字行中。湖州乌程（今浙江湖州）人。熙宁六年（1073）进士，历官中书舍人，官至礼部侍郎，曾与苏轼交游，后遭贬黜，晚景凄凉。仅存词一首。

渔家傲

小雨纤纤风细细[1]，万家杨柳青烟里。恋树湿花飞不起，秋无际，和春付与东流水。

九十光阴能有几？金龟解尽留无计[2]。寄语东阳沽酒市，拼一醉，而今乐事他年泪。

【注解】

1 纤纤：一作"廉纤"。皆为细微之意。　2 金龟：唐朝三品以上官员佩金龟。此处用贺知章解下金龟换酒以酬李白之事。

毛　滂

毛滂（1064—？），字泽民，号东堂。衢州江山（今属浙江）人。元祐初，毛滂在苏轼门下做杭州法曹，颇受苏轼器重，后苏荐之于朝。其词婉约空灵，潇洒明润，极富情韵。有《东堂词》。

惜分飞 富阳僧舍作别语赠妓琼芳

泪湿阑干花着露[1]，愁到眉峰碧聚。此恨平分取，更无言语空相觑[2]。

断雨残云无意绪，寂寞朝朝暮暮。今夜山深处，断魂分付潮回去。

【注解】

1 阑干：眼泪纵横的样子。　2 觑（qù）：窥看，瞧看。

陈　克

陈克（1081—？），字子高，自号赤城居士。临海（今属浙江）人。少时随父官游四方，后侨居金陵（今江苏南京）。绍兴七年（1137），曾投身戎伍，入吕祉幕府为参谋。出身书香世家，诗文皆能，曾与吴若共著《东南防守便利》三卷。他生当两宋之交的战乱时期，少量词作涉及乱世之感，但多数词作承袭"花间"词派之风，婉约轻丽，寄情于闲情逸致之中。有《天台集》，今已不传；有赵万里辑本《赤城词》一卷。

菩萨蛮

赤阑桥尽香街直，笼街细柳娇无力。金碧上青空[1]，花晴帘影红。

黄衫飞白马[2]，日日青楼下。醉眼不逢人[3]，午香吹暗尘。

【注解】

1金碧：指豪华的楼阁建筑。　2黄衫：指隋唐时多为年轻人所穿的华贵服饰，此处代指贵族子弟。　3不逢人：指目中无人，有骄横之意。

菩萨蛮

绿芜墙绕青苔院，中庭日淡芭蕉卷。蝴蝶上阶飞，烘帘自在垂[1]。

玉钩双语燕，宝甃杨花转[2]。几处簸钱声[3]，绿窗春睡轻。

【注解】

1烘帘：日光照耀下的帘子。　2宝甃（zhòu）：华美的井壁。甃，井壁，井垣。　3簸（bǒ）钱：古代一种以掷钱币来赌博的游戏。

李元膺

李元膺（生卒年不详），约生活于哲宗、徽宗之时。东平（今山东东平县）人。曾为南京（今河南商丘）教官。曾为李孝美《墨谱法式》作序。词风清丽，存词九首，赵万里辑有《李元膺词》一卷。

洞仙歌

一年春物，惟梅柳间意味最深，至莺花烂漫时，则春已衰迟，使人无复新意。余作《洞仙歌》，使探春者歌之，无后时之悔。

雪云散尽，放晓晴庭院¹。杨柳于人便青眼²。更风流多处，一点梅心，相映远，约略颦轻笑浅³。

一年春好处，不在浓芳，小艳疏香最娇软。到清明时候，百紫千红花正乱，已失春风一半。早占取、韶光共追游，但莫管春寒，醉红自暖⁴。

【注解】

1 庭院：一作"池院"。　2 青眼：喜悦的眼色。古人诗赋亦常称柳叶为柳眼。　3 约略：不经意地。　4 醉红：指因饮酒而脸红。

时　彦

时彦（？—1107），字邦美，一说字邦彦。开封（今属河南）人。元丰二年（1079）进士第一，历官开封府尹、兵部员外郎，官至吏部尚书。存词一首，仅见于明人《花草粹编》，殊属可贵。

青门饮

胡马嘶风，汉旗翻雪¹，彤云又吐，一竿残照。古木连空，乱山无数，行尽暮沙衰草。星斗横幽馆，夜无眠、灯花空老。雾浓香鸭²，冰凝泪烛，霜天难晓。

长记小妆才了。一杯未尽，离怀多少。醉里秋波，梦中朝雨，都是醒时烦恼。料有牵情处，忍思量、耳边曾道。甚时跃马归来，认得迎门轻笑。

【注解】

1胡马、汉旗：指西域边疆之地。　2香鸭：塑成鸭形的熏香炉。

李之仪

李之仪（？—1117），字端叔，号姑溪居士。沧州无棣（今属山东）人。神宗熙宁三年（1070）进士。元祐（1086—1093）初为枢密院编修官。元祐末于定州为苏轼幕僚，与苏朝夕唱和，受苏轼赏识，亦受苏影响。后因文得罪蔡京，除名编管太平州（今安徽当涂），晚年即终于此。尤擅书法，亦工于词，善写景，词风清婉含蓄。有《姑溪词》。

谢池春

残寒消尽，疏雨过、清明后。花径款余红[1]，风沼萦新皱[2]。乳燕穿庭户，飞絮沾襟袖。正佳时，仍晚昼，着人滋味[3]，真个浓如酒。

频移带眼[4]，空只恁、厌厌瘦。不见又思量，见了还依旧，为问频相见，何似长相守？天不老，人未偶，且将此恨，分付庭前柳[5]。

【注解】

1款：此处为挽留之意。一作"敛"。　2冯延巳有词："风乍起，吹皱一池春水。"　3着人滋味：给人的滋味。　4频移带眼：古时腰带上有眼孔。移带眼，一般指身体消瘦，衣带渐宽之意。　5分付：托付。

卜算子

我住长江头，君住长江尾;日日思君不见君，共饮长江水。

此水几时休，此恨何时已[1]。只愿君心似我心，定不负相思意。

【注解】

1 已：停止。

周邦彦

周邦彦（1056—1121），字美成，号清真居士。钱塘（今浙江杭州）人。元丰七年（1084），作《汴都赋》，得神宗赏识，由太学生擢升试太学正，一时名噪天下。其后仕途并不顺畅，多于州县之间历任小官。徽宗时，召为大晟府提举，专制乐曲，于审词定调，多有建树。周通音律，多自度曲，其作词亦严格遵循平仄四声，五音六律，堪称格律词派宗师。其词作风格不一，内容多样，阳春白雪、下里巴人皆可入词。其词风音律谐婉，清正醇和，长调尤善铺叙，艺术成就颇高，对后世词人影响深远。旧时词论多称周为"词家之冠"。王国维《人间词话》评曰："美成深远之致，不及欧、秦，唯言情体物，穷极工巧，故不失为第一流之作者；但恨创调之才多，创意之才少耳。"存词二百余首，有《清真集》，又名《片玉词》。

瑞龙吟

章台路 [1]，还见褪粉梅梢，试花桃树 [2]。愔愔坊陌人家 [3]，定巢燕子，归来旧处。

黯凝伫，因念个人痴小 [4]，乍窥门户。侵晨浅约宫黄 [5]，障风映袖，盈盈笑语。

前度刘郎重到 [6]，访邻寻里，同时歌舞，惟有旧家秋娘，声价如故 [7]。吟笺赋笔，犹记燕台句 [8]。知谁伴，名园露饮 [9]，东城闲步？事与孤鸿去 [10]，探春尽是，伤离意绪。官柳低金缕 [11]，归骑晚、纤纤池塘飞雨。断肠院落，一帘风絮。

【注解】

1 章台路：汉代有章台街，为歌楼妓馆聚集之处，后常以章台泛指烟花柳巷。 2 褪粉梅梢，试花桃树：意为梅花在梢头凋谢，桃花初初绽放花蕾。 3 愔（yīn）愔：形容安静和悦。坊陌：一作"坊曲"。 4 个人：那人。痴小：年轻稚嫩。 5 浅约宫黄：意为略施粉黛。古时宫中女子多以黄色颜料为妆，谓之"约黄"，民间亦多效仿。 6 前度刘郎重到：相传东汉刘晨、阮肇入天台山遇二仙女结为夫妇，后思乡辞归，他年再入天台，不复得遇。唐刘禹锡曾自贬处朗州，十四年后召回，再游故地，从前道士所种桃花今已无存，有《再游玄都观》诗："种桃道士知何处，前度刘郎今又来。"此处作者一语用双典。 7 秋娘：原指杜秋娘，唐时金陵著名歌妓，杜牧有《赠杜秋娘》诗。后多泛指歌伎。声价：名声，身价。 8 燕台句：相传洛阳歌伎柳枝，因听人吟咏李商隐《燕台诗》而心生爱慕，后李商隐作《赠柳枝》诗："长吟远下燕台句，惟有花香染未消。" 9 露饮：即露天饮酒。 10 事与孤鸿去：杜牧有诗："恨如春草多，事逐孤鸿去。" 11 金缕：形容柳条。

风流子

新绿小池塘。风帘动、碎影舞斜阳。羡金屋去来[1]，旧时巢燕；土花缭绕，前度莓墙[2]。绣阁里、凤帏深几许？听得理丝簧[3]。欲说又休。虑乖芳信，未歌先噎，愁近清觞[4]。

遥知新妆了，开朱户、应自待月西厢[5]。最苦梦魂，今宵不到伊行[6]。问甚时说与，佳音密耗，寄将秦镜，偷换韩香[7]？天便教人，霎时厮见何妨[8]！

【注解】

1金屋：用汉武帝金屋藏娇之典故，此处代指所思女子之居所。 2土花：苔藓别称。李贺有诗："三十六宫土花碧。"莓墙：生满青苔的墙壁。 3丝簧：泛指管弦乐器。 4清觞：洁净酒杯。一作"愁转清商"，意为凄清的乐声也带着忧伤。 5待月西厢：元稹《莺莺传》中莺莺与张生诗："待月西厢下，迎风户半开。" 6伊行（háng）：她身边。 7秦镜：汉代秦嘉之妻徐淑赠秦嘉明镜，秦嘉作诗答谢。乐府中有句："盘龙明镜饷秦嘉，辟恶生香寄韩寿。"韩香：晋代贾充之女，倾心于韩寿，遂赠家藏之熏香与寿，贾充闻香知意，因以女许配韩寿。 8厮见：相见。

兰陵王

柳阴直，烟里丝丝弄碧。隋堤上、曾见几番，拂水飘绵送行色。登临望故国，谁识、京华倦客。长亭路、年去岁来，应折柔条过千尺[1]。

闲寻旧踪迹，又酒趁哀弦，灯照离席，梨花榆火催寒食[2]。

愁一箭风快，半篙波暖，回头迢递便数驿，望人在天北。

凄恻，恨堆积。渐别浦萦回，津堠岑寂³，斜阳冉冉春无极。念月榭携手，露桥闻笛，沉思前事，似梦里、泪暗滴。

【注解】

1折柔条：即折柳。古人送行，多以折柳赠别。　2榆火催寒食：古时清明前一二日为寒食节，禁烟火，唐代朝廷于清明取榆柳之火以赐近臣，以顺阳气。《云笈七笺》中载："清明一日取榆柳作薪煮食名曰换新火，以取一年之利。"　3津堠（hòu）：渡口处供人嘹望等候的土堡。

琐窗寒

暗柳啼鸦，单衣伫立，小帘朱户。桐花半亩，静锁一庭愁雨。洒空阶、夜阑未休，故人剪烛西窗语¹。似楚江暝宿，风灯零乱²，少年羁旅。

迟暮，嬉游处。正店舍无烟，禁城百五³。旗亭唤酒⁴，付与高阳俦侣⁵。想东园、桃李自春，小唇秀靥今在否⁶？到归时、定有残英，待客携尊俎⁷。

【注解】

1剪烛西窗语：语自李商隐诗《夜雨寄北》："何当共剪西窗烛，却话巴山夜雨时。"　2暝宿：夜宿。风灯零乱：杜甫诗《船下夔州别王十二判官》："风起春灯乱，江鸣夜雨悬。"　3"正店舍"二句：前句语自元稹《连昌宫词》："初过寒食一百六，店舍无烟宫树绿。"百五：即指寒食节。《荆楚岁时记》中有："去冬节一百五日，有疾风甚雨，谓之寒食。"　4旗亭：酒楼。古时酒楼多插有酒旗。　5高阳俦（chóu）侣：典出《史记》："汉郦食其以儒冠求见沛公刘邦，刘邦以其为儒生，不见，食其按剑大呼：'吾高阳酒徒也，非儒人也。'刘邦因见之。"俦侣：伴侣。此处代指喝酒的朋友。　6小唇秀靥（yè）：李贺有诗："浓眉笼小唇"，又有"晚奁妆秀靥"。靥，脸颊上的酒窝。　7尊俎（zǔ）：尊，同"樽"。原意为古时盛酒肉的器具，亦多代指酒肉。

六　丑 蔷薇谢后作

正单衣试酒，怅客里、光阴虚掷[1]。愿春暂留，春归如过翼[2]，一去无迹。为问家何在？夜来风雨，葬楚宫倾国[3]。钗钿坠处遗香泽，乱点桃蹊，轻翻柳陌。多情为谁追惜？但蜂媒蝶使，时叩窗槅[4]。

东园岑寂，渐蒙笼暗碧[5]。静绕珍丛底，成叹息。长条故惹行客[6]，似牵衣待话，别情无极。残英小、强簪巾帻[7]，终不似、一朵钗头颤袅，向人敧侧[8]。漂流处、莫趁潮汐，恐断红、尚有相思字[9]，何由见得？

【注解】

1此句意为：正是换上单衣，初试新酒的时节，客居他乡真是让人惆怅，浪费了大好的时光。试酒：古时春末夏初有试饮新酒的习惯。　2过翼：天空飞过的鸟儿。　3楚宫倾国：此处以美女比喻落花。　4窗槅（gé）：即窗格子。　5蒙笼暗碧：指绿叶渐渐茂密。　6珍丛：此处指蔷薇花丛。长条：指蔷薇枝条，上有刺，易勾人衣物，故说"惹行客"。　7巾帻（zé）：布帽，头巾。　8颤袅：微微颤抖。敧（qī）侧：斜侧。　9断红：凋落的花瓣。相思字：唐卢渥赴京应试，偶于御沟拾得红叶，上题诗云："流水何太急，深宫竟日闲。殷勤谢红叶，好去到人间。"后知乃宫中女子所题，终结良缘。

夜飞鹊

河桥送人处，凉夜何其¹。斜月远、坠余辉，铜盘烛泪已流尽，霏霏凉露沾衣。相将散离会，探风前津鼓²，树杪参旗³。花骢会意⁴，纵扬鞭、亦自行迟。

迢递路回清野⁵，人语渐无闻，空带愁归。何意重经前地，遗钿不见，斜径都迷。兔葵燕麦⁶，向斜阳、欲与人齐。但徘徊班草，欷歔酹酒⁷，极望天西。

【注解】

1凉夜何其：夜到了什么时候。一作"良夜何其"。《诗经·小雅》中有："夜如何其？夜未央。"其，在此并无实际意义。　2相将：行将。离会：饯别的宴会。津鼓：渡口的鼓声。　3树杪（miǎo）：树的细梢。参（shēn）旗：参与旗皆为星宿名。　4花骢（cōng）：花白毛色的马儿。　5迢递（tiáo dì）：形容路途遥远。　6兔葵燕麦：语出唐刘禹锡《再游玄都观》序："重游玄都，荡然无复一树，唯有兔葵燕麦动摇于春风耳。"形容景象荒凉。　7班草：席草而坐。欷歔（xī xū）：也作"唏嘘"，形容因悲哀而叹息。

满庭芳　夏日溧水无想山作¹

风老莺雏，雨肥梅子²，午阴嘉树清圆。地卑山近，衣润费炉烟³。人静乌鸢自乐，小桥外、新绿溅溅。凭阑久，黄芦苦竹，疑泛九江船⁴。

年年，如社燕，飘流瀚海，来寄修椽⁵。且莫思身外，长近尊前⁶。憔悴江南倦客，不堪听、急管繁弦。歌筵畔，先安枕簟⁷，容我醉时眠。

【注解】

1溧（lì）水：县名，今属江苏，周邦彦曾在此为县令。无想山：当地小山，据说乃周命名。　2"风老"二句：莺雏在风中变老，雨水使梅子日益饱满。杜牧有"风蒲燕雏老"，杜甫有"红绽雨肥梅"。　3衣润费炉烟：意为衣服经常潮湿，需用炉烟烤熏。　4"黄芦苦竹"二句：指白居易客居九江作《琵琶行》中："住近湓江地低湿，黄芦苦竹绕宅生。"此处作者自况。　5社燕：即燕子。燕于春天社日来，秋天社日去，故又称社燕。瀚海：古时泛指塞外沙漠。修椽（chuán）：长长的椽子。常为燕子筑巢处。　6莫思身外：语自杜甫诗《绝句漫兴》："莫思身外无穷事，且尽樽前有限杯。"　7簟（diàn）：竹席子。

过秦楼

水浴清蟾¹，叶喧凉吹，巷陌马声初断。闲依露井，笑扑流萤²，惹破画罗轻扇。人静夜久凭阑，愁不归眠，立残更箭³。叹年华一瞬，人今千里，梦沉书远。

空见说、鬓怯琼梳，容消金镜，渐懒趁时匀染。梅风地溽⁴，虹雨苔滋，一架舞红都变⁵。谁信无聊为伊，才减江淹⁶，情伤荀倩⁷。但明河影下，还看稀星数点。

【注解】

1清蟾：即月亮。古时传说月中有蟾，故常以"玉蟾"、"清蟾"等代指月亮。　2笑扑流萤：杜牧有《秋夕》诗："轻罗小扇扑流萤。"　3更箭：

即漏箭，古时计时器。 4梅风地溽：指梅雨时节地上易泛潮湿。 5舞红：指落花。 6才减江淹：用江淹之典故。《南史》记载："江淹少时，宿于江亭，梦人授五色笔，因而有文章。后梦郭璞取其笔，自此为诗无美句，人称才尽。" 7情伤荀倩：典出《世说新语》："荀奉倩妻曹氏有艳色，妻常病热，奉倩以冷身熨之。妻亡，叹曰：'佳人难再得。'人吊之，不哭而神伤，未几，奉倩亦亡。"

花 犯 咏梅

　　粉墙低，梅花照眼，依然旧风味。露痕轻缀，疑净洗铅华[1]，无限佳丽。去年胜赏曾孤倚，冰盘共燕喜[2]。更可惜、雪中高树，香篝熏素被[3]。

　　今年对花最匆匆，相逢似有恨，依依愁悴。吟望久，青苔上，旋看飞坠。相将见、翠丸荐酒[4]，人正在、空江烟浪里。但梦想、一枝潇洒，黄昏斜照水[5]。

【注解】

　　1铅华：搽脸的粉，指妆容。 2冰盘共燕喜：折梅置于酒中供赏玩。燕喜，通"宴喜"，宴饮喜乐。 3香篝：即熏笼，比喻梅花。素被比喻梅上覆盖之白雪。 4翠丸：指梅子。荐酒：配酒。 5黄昏斜照水：用林逋《山园小梅》诗句："疏影横斜水清浅，暗香浮动月黄昏。"

大 酺[1]

对宿烟收，春禽静，飞雨时鸣高屋。墙头青玉旆[2]，洗铅霜都尽，嫩梢相触。润逼琴丝，寒侵枕障[3]，虫网吹粘帘竹。邮亭无人处，听檐声不断，困眠初熟。奈愁极频惊，梦轻难记，自怜幽独。

行人归意速。最先念、流潦妨车毂[4]。怎奈向兰成憔悴，卫玠清羸[5]，等闲时、易伤心目。未怪平阳客[6]，双泪落、笛中哀曲。况萧索、青芜国[7]。红糁铺地[8]，门外荆桃如菽[9]。夜游共谁秉烛？

【注解】

1大酺：唐宋时政府禁止百姓聚众饮酒，除非逢国家吉庆之日方特许聚饮，便称"大酺日"。 2青玉旆（pèi）：旆，本意为旗子末梢的飘带或流苏。此处形容新竹。 3润逼琴丝：指琴弦亦受雨气而潮湿。障：指帏帐或屏风。 4流潦妨车毂（gǔ）：意指途中因雨积水，车不能行。毂：车轮中的圆木，多泛指车或车轮。 5兰成：指南北朝文学家庾信，小字兰成，生平凄苦，有《哀江南》赋。卫玠：晋人，风神秀异，人闻其名，观者如堵。先有羸疾，成病而死，时人谓"看杀卫玠"。 6平阳客：指汉代马融，喜好音乐，在平阳时，听客舍有人吹笛其音甚悲，因作《笛赋》。 7青芜国：比喻杂草丛生之地。温庭筠《春江花月夜》中有："花庭忽作青芜国。" 8红糁（sǎn）：糁，原意指米粒。此处比喻落花。 9菽（shū）：豆类统称。

解语花 上元

风销焰蜡，露浥红莲[1]，花市光相射。桂华流瓦[2]，纤云散、耿耿素娥欲下。衣裳淡雅，看楚女纤腰一把。箫鼓喧、人影参差，满路飘香麝。

因念都城放夜[3]，望千门如昼，嬉笑游冶。钿车罗帕，相逢处、自有暗尘随马[4]。年光是也[5]，惟只见、旧情衰谢。清漏移、飞盖归来，从舞休歌罢。

【注解】

1焰蜡：一作"绛蜡"。浥：湿润。红莲：指做成莲花状的花灯。 2桂华：指月光。传说月中有桂树。 3放夜：古时京城夜晚有宵禁，正月十五夜前后特赦，不设宵禁，谓之"放夜"。 4暗尘随马：苏味道诗句："暗尘随马去，明月逐人来。" 5是也：此处为依然之意。

蝶恋花

月皎惊乌栖不定，更漏将阑，辘轳牵金井[1]。唤起两眸清炯炯[2]，泪花落枕红绵冷[3]。

执手霜风吹鬓影，去意徊徨[4]，别语愁难听。楼上阑干横斗柄[5]，露寒人远鸡相应。

【注解】

1辘轳：即辘轳，汲取井水的绞车。 2炯（jiǒng）炯：闪闪发光的样子。　3红绵：指填充枕头所用的红棉花，此处指枕头。　4徊徨：徘徊彷徨，犹疑不决。　5阑干：此处为纵横的样子。斗柄：北斗七星。

解连环

　　怨怀无托，嗟情人断绝，信音辽邈。纵妙手、能解连环[1]，似风散雨收，雾轻云薄。燕子楼空[2]，暗尘锁、一床弦索。想移根换叶，尽是旧时，手种红药[3]。

　　汀洲渐生杜若[4]，料舟依岸曲，人在天角。漫记得、当日音书，把闲语闲言，待总烧却。水驿春回，望寄我、江南梅萼。拼今生、对花对酒，为伊泪落。

【注解】

　　1解连环：此处用典。《战国策》中载：秦遗齐王玉连环，齐王后引椎摧破之，对秦使说："谨以解矣。"后世常以"连环"形容难解的愁怨。　2燕子楼空：唐代张愔死后，其妾关盼盼独居燕子楼，历十余年后不嫁而死。此处反用此典。　3红药：红芍药花。　4杜若：香草名，生在水边。

拜星月慢

　　夜色催更，清尘收露，小曲幽坊月暗。竹槛灯窗，识秋娘庭院[1]。笑相遇，似觉琼枝玉树相倚，暖日明霞光烂。水盼兰情[2]，总平生稀见。

画图中、旧识春风面 [3]。谁知道、自到瑶台畔 [4]。眷恋雨润云温，苦惊风吹散。念荒寒、寄宿无人馆，重门闭，败壁秋虫叹。怎奈向、一缕相思，隔溪山不断。

【注解】

1 秋娘：指唐时对歌妓的通称。　2 水盼兰情：意为目光如秋水，情悠似娇兰。"水盼"一作"水眄"，意同。　3 语自杜甫诗《咏怀古迹》："画图省识春风面。"　4 瑶台：传说中仙人居所。

关河令

秋阴时晴渐向暝 [1]，变一庭凄冷。伫听寒声，云深无雁影。更深人去寂静。但照壁、孤灯相映。酒已都醒，如何消夜永 [2]？

【注解】

1 暝（míng）：日落，天黑。　2 夜永：指漫漫长夜。

绮寮怨

上马人扶残醉，晓风吹未醒。映水曲、翠瓦朱檐，垂杨里、乍见津亭 [1]。当时曾题败壁，蛛丝罩、淡墨苔晕青。念去来、岁月如流，徘徊久、叹息愁思盈。

去去倦寻路程。江陵旧事，何曾再问杨琼²。旧曲凄清，敛愁黛、与谁听？尊前故人如在，想念我、最关情。何须渭城³，歌声未尽处，先泪零。

【注解】

1津亭：设于渡口的亭子或小栈。　2杨琼：当为人名，生平未详。白居易有诗："就中犹有杨琼在，堪上东山伴谢公。"　3渭城：即王维《渭城曲》："渭城朝雨浥轻尘，客舍青青柳色新。劝君更进一杯酒，西出阳关无故人。"

尉迟杯

隋堤路¹，渐日晚、密霭生烟树²。阴阴淡月笼纱，还宿河桥深处。无情画舸，都不管、烟波隔前浦。等行人、醉拥重衾，载将离恨归去³。

因思旧客京华，长偎傍疏林，小槛欢聚。冶叶倡条俱相识⁴，仍惯见、珠歌翠舞。如今向、渔村水驿，夜如岁、焚香独自语。有何人、念我无聊，梦魂凝想鸳侣。

【注解】

1隋堤：隋朝时所建堤坝，在今河南开封汴河一带，堤上多植柳树。　2密霭（ǎi）：浓密的烟雾。　3"等行人"二句：唐郑仲贤有《送别》诗："亭亭画舸系寒潭，直到行人酒半酣。不管烟波与风雨，载将离恨过江南。"苏轼词《虞美人》："无情汴水自东流，只载一船离恨向西州。"　4冶叶倡条：以柳枝比喻歌妓，倡，同"娼"。李商隐有《燕台诗》："冶叶倡条遍相识。"

西 河 金陵怀古

佳丽地[1]，南朝盛事谁记？山围故国绕清江，髻鬟对起[2]。怒涛寂寞打孤城，风樯遥度天际。

断崖树、犹倒倚。莫愁艇子谁系[3]？空余旧迹郁苍苍，雾沉半垒。夜深月过女墙来[4]，伤心东望淮水[5]。

酒旗戏鼓甚处市？想依稀、王谢邻里，燕子不知何世[6]。向寻常、巷陌人家，相对如说兴亡，斜阳里。

【注解】

1佳丽地：谢朓诗《入朝曲》："江南佳丽地，金陵帝王州。" 2山围故国：语自刘禹锡《石头城》："山围故国周遭在，潮打空城寂寞回。淮水东边旧时月，夜深还过女墙来。"此处"故国"指金陵，南朝故都。髻鬟：比喻两岸青山之貌。 3莫愁艇子谁系：乐府诗："莫愁在何处，住在石城西，艇子折两桨，催送莫愁来。"今南京水西门外有莫愁湖。此句一作"莫愁艇子曾系"。 4女墙：城楼上的矮墙。 5淮水：指秦淮河。 6燕子不知何世：用刘禹锡诗《乌衣巷》："朱雀桥边野草花，乌衣巷口夕阳斜。旧时王谢堂前燕，飞入寻常百姓家。"

瑞鹤仙

悄郊原带郭[1]。行路永、客去车尘漠漠。斜阳映山落。敛余红，犹恋孤城阑角。凌波步弱[2]，过短亭、何用素约。有流莺劝我，重解绣鞍，缓引春酌。

不记归时早暮，上马谁扶，醒眠朱阁。惊飙动幕[3]，扶残醉，

绕红药⁴。叹西园、已是花深无地,东风何事又恶?任流光过却,
犹喜洞天自乐⁵。

【注解】

　　1"悄郊"句:安静的城郊连接着外城。郭:外城。　2凌波:形容女子轻
盈的步伐。出自曹植《洛神赋》:"凌波微步,罗袜生尘。"　3惊飙(biāo):
形容疾风。　4红药:红色的芍药花。　5洞天:原指道家所谓神仙居所。此
处指休憩的青楼朱阁。

浪淘沙慢

　　晓阴重,霜凋岸草,雾隐城堞¹。南陌脂车待发²,东门
帐饮乍阕³。正拂面、垂杨堪揽结,掩红泪⁴、玉手亲折。念汉浦、
离鸿去何许⁵?经时信音绝。

　　情切,望中地远天阔。向露冷风清无人处,耿耿寒漏咽。
嗟万事难忘,惟是轻别。翠尊未竭,凭断云、留取西楼残月。

　　罗带光消纹衾叠,连环解、旧香顿歇。怨歌永、琼壶敲尽缺⁶。
恨春去、不与人期,弄夜色、空余满地梨花雪。

【注解】

　　1城堞(dié):即女墙,城墙上齿状矮墙。　2脂车:指出行前,以
油脂涂车轴。　3东门帐饮:汉疏广辞归,公卿大夫设祖道,供帐东都门
外送行。后多代指送行饯别。乍阕:刚刚结束。阕,终了。　4红泪:血泪。
魏文帝时,薛灵芸奉选入宫,沿途以玉壶承泪,及至京师,泪凝如血。　5汉
浦:又称"汉皋"。传说周时郑交甫于此遇二仙女,仙女解佩以赠郑。　6琼

壶敲尽缺：典出《世说新语》。相传晋王敦常于酒后，咏曹操诗："老骥伏枥，志在千里。烈士暮年，壮心不已。"以所持如意击唾壶为节，壶口尽缺。

应天长

条风布暖[1]，霏雾弄晴，池台遍满春色。正是夜堂无月，沉沉暗寒食。梁间燕，前社客[2]，似笑我、闭门愁寂。乱花过、隔院芸香[3]，满地狼藉。

长记那回时，邂逅相逢，郊外驻油壁[4]。又见汉宫传烛[5]，飞烟五侯宅。青青草，迷路陌。强载酒、细寻前迹。市桥远、柳下人家，犹自相识。

【注解】

1 条风：春季所刮的东北风。又叫"调风"。《易纬》："立春条风至。" 2 前社客：即燕子。古时有春秋二分祭社神之俗，春分时燕来，秋分时燕去，故称燕子为"社燕"、"社客"。 3 芸香：一种香草，此处泛指花香。 4 油壁：马车外壁以油彩涂饰，此处代指马车。 5 汉宫传烛：唐代韩翃《寒食》诗："日暮汉宫传蜡烛，轻烟散入五侯家。"

夜游宫

叶下斜阳照水。卷轻浪、沉沉千里。桥上酸风射眸子[1]，立多时，看黄昏灯火市。

古屋寒窗底。听几片、井桐飞坠。不恋单衾再三起,有谁知,为萧娘,书一纸²?

【注解】

1酸风射眸子:意为寒风刺眼。李贺有诗《金铜仙人辞汉歌》:"魏官前车指千里,东关酸风射眸子。" 2萧娘:唐时以"萧娘"泛称女子,男子则称"萧郎"。唐杨巨源有诗:"风流才子多春思,肠断萧娘一纸书。"

贺 铸

贺铸(1052—1125),字方回,自号庆湖遗老,卫州(今河南汲县)人。他早年曾任武职,后转文官,历任泗州、太平州通判,官至承议郎,但于仕途终不得志。晚年退隐苏州,以校雠藏书为娱。方回性格豪爽,关心世事,不媚权要。其词风格多变,或写闺情离怨,婉约艳丽;或抒慷慨悲歌,豪放激越;或叹功业不就,凄切苍凉。有《东山词》存世。

青玉案

凌波不过横塘路¹,但目送、芳尘去。锦瑟华年谁与度²?月桥花院,琐窗朱户³,只有春知处。

飞云冉冉蘅皋暮⁴,彩笔新题断肠句⁵。试问闲愁都几许?一川烟草,满城风絮,梅子黄时雨⁶。

【注解】

　　1凌波：形容女子步履轻盈。横塘：位于苏洲城外，贺铸在此有居所。　2锦瑟华年：青春年华。语出李商隐诗《锦瑟》："锦瑟无端五十弦，一弦一柱思华年。"　3琐窗：镂刻有图案的窗户。　4蘅皋（gāo）：蘅，杜蘅，一种香草。皋，水边高地。　5彩笔：相传南朝江淹少年梦得五色笔，而后文采非凡。　6梅子黄时雨：江南五月梅子成熟，正值雨季，谓之黄梅雨。

感皇恩

　　兰芷满汀洲[1]，游丝横路。罗袜尘生步。迎顾，整鬟颦黛[2]，脉脉两情难语。细风吹柳絮、人南渡。

　　回首旧游，山无重数。花底深朱户。何处？半黄梅子，向晚一帘疏雨。断魂分付与，春将去。

【注解】

　　1兰芷：兰花与白芷，皆为香草。汀洲：水中小片陆地。　2整鬟（huán）颦（pín）黛：整理发髻，轻皱眉头。

薄　幸

　　淡妆多态，更的的、频回眄睐[1]。便认得琴心先许，欲缩合欢双带[2]。记画堂、风月逢迎[3]，轻颦浅笑娇无奈。向睡鸭炉边，翔鸳屏里，羞把香罗暗解[4]。

自过了烧灯后，都不见踏青挑菜⁵。几回凭双燕，丁宁深意，往来却恨重帘碍。约何时再。正春浓酒困，人闲昼永无聊赖。厌厌睡起⁶，犹有花梢日在。

【注解】

1 淡妆：一作"艳真"。的的：明媚的样子。眄睐（miǎn lài）：目光左顾右盼。　2 琴心先许：意为将情思寄予琴声之中，用司马相如弹琴取悦卓文君事。绾（wǎn）：系，结。欲绾合欢双带：一作"与写宜男双带"，宜男，旧称祝妇人多子。　3 风月逢迎：一作"斜月朦胧"。　4 "向睡鸭"三句：一作"便翡翠屏开，芙蓉帐掩，与把香罗暗解"。　5 烧灯：指元宵节赏挂花灯。踏青挑菜：指踏青郊游。古时习俗，二月二日为挑菜节。　6 厌厌：同"恹恹"，精神萎靡的样子。

浣溪沙

不信芳春厌老人，老人几度送余春，惜春行乐莫辞频¹。
巧笑艳歌皆我意，恼花颠酒拼君嗔²，物情惟有醉中真³。

【注解】

1 莫辞频：不要嫌行乐太多。晏殊《浣溪沙》中有："等闲离别更销魂，酒筵歌席莫辞频"。　2 "恼花"句：恼恨花儿，恣意饮酒，任凭你发脾气好了。拼：随便，任凭。　3 物情：世情，泛指一切感情。

浣溪沙

楼角初消一缕霞，淡黄杨柳暗栖鸦，玉人和月摘梅花。

笑捻粉香归洞户[1]，更垂帘幕护窗纱，东风寒似夜来些[2]。

【注解】

1 洞户：门与门相连通的房间。　2 些：此处为句末语气助词，无意义。

石州慢

薄雨收寒，斜照弄晴，春意空阔。长亭柳色才黄，倚马何人先折？[1]烟横水漫，映带几点归鸿，平沙消尽龙荒雪[2]。犹记出关来，恰如今时节。

将发。画楼芳酒，红泪清歌，便成轻别。回首经年，杳杳音尘都绝。欲知方寸[3]，共有几许新愁？芭蕉不展丁香结[4]。憔悴一天涯，两厌厌风月[5]。

【注解】

1 一作"远客一枝先折"。　2 龙荒：形容沙漠，古时对塞外的通称。　3 方寸：指心。　4 芭蕉不展丁香结：语自李商隐诗《代赠》："芭蕉不展丁香结，同向春风各自愁。"丁香花蕾聚生，常用来比喻人愁郁难解。　5 厌厌：此处形容忧愁苦闷的样子。

88

蝶恋花

几许伤春春复暮，杨柳清阴，偏碍游丝度。天际小山桃叶步[1]，白蘋花满湔裙处[2]。

竟日微吟长短句，帘影灯昏，心寄胡琴语。数点雨声风约住，朦胧淡月云来去。

【注解】

1天际小山桃叶步：形容女子眉如远山，步履轻盈。天际小山，古时常以远山形容女子眉黛。桃叶，晋王献之小妾，后多为诗词所引。一解为"桃叶渡"，地名，位于南京。 2湔（jiān）：清洗。

天广谣 登采石蛾眉亭[1]

牛渚天门险，限南北、七雄豪占[2]。清雾敛，与闲人登览。

待月上潮平波滟滟[3]，塞管轻吹新阿滥[4]。风满槛，历历数、西州更点[5]。

【注解】

1蛾眉亭：《安徽通志》中载："蛾眉亭在当涂县北二十里，据牛渚绝壁，前直二梁山，夹江对峙如蛾眉然，故名。"2七雄豪占：指六朝（吴、东晋、宋、齐、梁、陈）及南唐，均曾力战抢夺此地。 3滟滟：形容水波闪动的样子。 4阿滥：《阿滥堆》，乐曲名。据传骊山有鸟名阿滥堆，唐玄宗以其鸣声翻为笛曲，人竞效吹。 5西州：扬州，在采石之西。更点：打更的梆鼓声。

天 香

烟络横林，山沉远照，迤逦黄昏钟鼓[1]。烛映帘栊，蛩催机杼[2]，共苦清秋风露。不眠思妇，齐应和、几声砧杵。惊动天涯倦宦，骎骎岁华行暮[3]。

当年酒狂自负，谓东君[4]、以春相付。流浪征骖北道，客樯南浦，幽恨无人晤语。赖明月、曾知旧游处，好伴云来，还将梦去。

【注解】

1 迤逦（yǐ lǐ）：形容曲折连绵不断的样子。　2 蛩（qióng）：即蟋蟀。此处泛指秋虫。　3 骎（qīn）骎：形容马儿疾速奔驰的样子，此处比喻时间飞逝。　4 东君：传说中东方司春之神。

望湘人

厌莺声到枕，花气动帘，醉魂愁梦相半。被惜余熏。带惊剩眼[1]，几许伤春春晚。泪竹痕鲜[2]，佩兰香老，湘天浓暖。记小江、风月佳时，屡约非烟游伴[3]。

须信鸾弦易断[4]。奈云和再鼓[5]，曲终人远。认罗袜无踪，旧处弄波清浅。青翰棹舣[6]，白蘋洲畔，尽目临皋飞观。不解寄、一字相思，幸有归来双燕。

1 带惊剩眼:因衣带上的孔见多而惊讶,指身体消瘦。 2 泪竹:此处用典。《述异记》中记载:传说尧帝有二女,娥皇、女英,均嫁与舜为妃。舜死后,二女洒泪于竹,竹上遂现斑点泪痕。 3 非烟:指步非烟,唐武公业之妾,皇甫枚有《非烟传》。 4 鸾弦易断:《汉武外传》中载:"西海献鸾胶,武帝弦断,以胶续之,弦二头遂相着,终月射,不断,帝大悦。"后世遂有"续弦"之说,引申为续娶。 5 云和:古时一种琴瑟头部塑成云状,遂名"云和"。《周礼》中有:"云和之琴瑟。" 6 青翰:指船。刻鸟于船体,涂以青色,故有此名。舣(yǐ):停船靠岸。

绿头鸭

　　玉人家,画楼珠箔临津[1]。托微风、彩箫流怨,断肠马上曾闻。宴堂开、艳妆丛里,调琴思、认歌颦[2]。麝蜡烟浓,玉莲漏短[3],更衣不待酒初醺。绣屏掩、枕鸳相就。香气渐暾暾[4]。回廊影、疏钟淡月,几许消魂?

　　翠钗分。银笺封泪,舞鞋从此生尘。任兰舟、载将离恨,转南浦、背西曛[5]。记取明年,蔷薇谢后,佳期应未误行云[6]。凤城远[7]、楚梅香嫩,先寄一枝春[8]。青门外,只凭芳草,寻访郎君。

1 箔(bó):帘子。津:渡口。 2 颦(pín):皱眉。3 玉莲漏短:玉制莲花形漏刻,古时计时器具。漏短,指夜已深。 4 暾(tūn)暾:原意为形容日光盛足的样子,此处形容香气浓郁。 5 曛(xūn):夕阳的余光。 6 行云:

指男女欢爱之事。 7凤城：京城的别称。 8寄一枝春：用陆凯自江南寄梅花与长安范晔并赠之以诗之事。

张元幹

张元幹（1091—约1170），字仲宗，号芦川居士，又号真隐山人，永福（今福建永泰）人。曾作为李纲行营属官，抗击金兵。后因不满秦桧当权，弃官隐去。绍兴中胡铨上疏请斩秦桧而遭贬，张又作词送之，遂获罪除名为民。其词成就最大者，当属抒写爱国豪情和抗敌救国的悲愤慷慨之作，为后陆游等爱国词人开辟了先河。

石州慢

寒水依痕[1]，春意渐回，沙际烟阔。溪梅晴照生香，冷蕊数枝争发[2]。天涯旧恨，试看几许消魂？长亭门外山重叠。不尽眼中青，是愁来时节。

情切。画楼深闭，想见东风，暗消肌雪。孤负枕前云雨，尊前花月。心期切处，更有多少凄凉，殷勤留与归时说。到得再相逢，恰经年离别。

【注解】

1"寒水"句：语自杜甫诗《冬深》："早霜随类影，寒水各依痕"。 2"冷蕊"句：语自杜甫诗："巡檐索共梅花笑，冷蕊疏枝半不禁。"

兰陵王

卷珠箔，朝雨轻阴乍阁[1]。阑杆外、烟柳弄晴，芳草侵阶映红药。东风妒花恶，吹落梢头嫩萼。屏山掩、沉水倦熏[2]，中酒心情怯杯勺[3]。

寻思旧京洛，正年少疏狂，歌笑迷着。障泥油壁催梳掠[4]，曾驰道同载，上林携手，灯夜初过早共约，又争信飘泊。

寂寞，念行乐。甚粉淡衣襟，音断弦索，琼枝璧月春如昨[5]。怅别后华表，那回双鹤[6]。相思除是，向醉里、暂忘却。

【注解】

1 乍阁：阁，同"搁"，意为雨初停。 2 屏山：屏风。沉水：沉香。 3 中（zhòng）酒：醉酒。杯勺：此处指酒器。 4 障泥油壁：障泥，马腹上用来挡泥的布垫。油壁，马车上用油彩饰画的壁沿。此处代指马车。梳掠：梳妆打扮。 5 琼枝璧月：形容花好月圆。 6 华表、双鹤：用丁令威化鹤归来之典故。

叶梦得

叶梦得（1077—1148），字少蕴，号石林学士，吴县（今江苏苏州）人。绍圣四年（1097）进士，曾做过翰林学士，官至江东安抚大使。晚岁隐居湖州，寄情诗书词乐。其词早期风格婉丽，南宋后，渐变旷达，近似苏轼。有《石林词》一卷。

贺新郎

睡起流莺语[1]，掩苍苔、房栊向晚，乱红无数。吹尽残花无人见，惟有垂杨自舞。渐暖霭、初回轻暑。宝扇重寻明月影，暗尘侵、上有乘鸾女[2]。惊旧恨，遽如许。

江南梦断横江渚。浪粘天、葡萄涨绿[3]，半空烟雨。无限楼前沧波意，谁采蘋花寄取[4]？但怅望、兰舟容与[5]。万里云帆何时到，送孤鸿、目断千山阻。谁为我，唱金缕[6]。

【注解】

1流莺语：一作"啼莺语"。 2明月影、乘鸾女：《龙城录》中载："九月望日，明皇游月宫见素娥千余人，皆皓衣乘白鸾。" 3葡萄涨绿：李白有诗："遥看汉水鸭头绿，恰似葡萄初泼醅。" 4蘋（pín）花：柳宗元诗："春风无限潇湘意，欲采蘋花不自由。" 5容与：两种意思，一是徘徊犹疑而不前，二是自得安闲。此处取前意。 6金缕：乐曲名。一说是杜秋娘的"劝君莫惜金缕衣，劝君惜取少年时"。

虞美人

雨后同干誉、才卿置酒来禽花下作[1]

落花已作风前舞，又送黄昏雨。晓来庭院半残红，惟有游丝千丈袅晴空[2]。

殷勤花下同携手，更尽杯中酒。美人不用敛蛾眉[3]，我亦

多情无奈酒阑时 [4]。

汪　藻

汪藻（1079—1154），字彦章，饶州德兴（今属江西）人。
崇宁二年（1103）进士，累官中书舍人、翰林学士、徽州知府，
官至显谟阁学士、左大中大夫。汪饱读诗书，学问渊博，诗文皆
有盛名，亦能填词，善写离别相思，词风绮丽。存词四首。

点绛唇

新月娟娟，夜寒江静山衔斗 [1]。起来搔首，梅影横窗瘦。
好个霜天，闲却传杯手 [2]。君知否？乱鸦啼后，归兴浓如酒。

刘一止

刘一止（1078—1160），字行简，湖州归安（今浙江吴兴）人。宣和三年（1121）进士，十年后召试，始授秘书省校书郎，官至秘阁修撰。曾得罪秦桧而遭贬黜，秦桧死后方得召还。工于诗文，亦善填词，词风雅致。词作有《苕溪乐章》一卷。

喜迁莺 晓行[1]

晓光催角，听宿鸟未惊，邻鸡先觉。迤逦烟村[2]，马嘶人起，残月尚穿林薄。泪痕带霜微凝，酒力冲寒犹弱。叹倦客，悄不禁重染[3]，风尘京洛[4]。

追念人别后，心事万重，难觅孤鸿托。翠幌娇深，曲屏香暖，争念岁华飘泊。怨月恨花烦恼，不是不曾经着。者情味[5]、望一成消减，新来还恶。

【注解】

1 晓行（xíng）：清晨出行。 2 迤逦（yǐ lǐ）：曲折连绵的样子。 3 悄：简直。不禁：不愿意。 4 风尘京洛：晋代陆机有诗《为顾彦先赠妇》："京洛多风尘，素衣化为淄。"后多以"风尘京洛"比喻俗世污浊。 5 者：同"这"。

韩疁

韩疁（liú，生卒年不详），字子耕，号萧闲，存词四首，有《萧闲词》，已不传。

高阳台 除夜

频听银签，重燃绛蜡[1]，年华衮衮惊心[2]。饯旧迎新，能消几刻光阴？老来可惯通宵饮？待不眠、还怕寒侵。掩清尊、多谢梅花，伴我微吟。

邻娃已试春妆了，更蜂腰簇翠，燕股横金[3]。句引东风，也知芳思难禁。朱颜那有年年好，逞艳游、赢取如今。恣登临、残雪楼台，迟日园林。

【注解】

1 银签：指更漏，古时计时器具。绛蜡：红烛。 2 衮（gǔn）衮：形容如流水般流逝而不绝。 3 蜂腰、燕股：剪彩制成蜂、燕形状装饰金钗以做头饰。

李邴

李邴（1085—1146），字汉老，号云龛居士，济州任城（今山东济宁）人。崇宁五年（1106）进士，累官翰林学士，官至参知政事资政殿学士。与汪藻、楼钥并称"南渡三词人"。词风富丽而韵平。

汉宫春

潇洒江梅，向竹梢疏处，横两三枝。东君也不爱惜[1]，雪压霜欺。无情燕子，怕春寒、轻失花期。却是有、年年塞雁，归来曾见开时。

清浅小溪如练，问玉堂何似[2]，茅舍疏篱。伤心故人去后，冷落新诗。微云淡月，对江天、分付他谁[3]？空自忆、清香未减，风流不在人知。

【注解】

1东君：传说中东方司春之神。 2玉堂：泛指豪门贵族的宅邸。古乐府有："黄金为君门，白玉为君堂。"一解为翰林院的美称。 3分付：处置。分付他谁，即"让谁来处置"。

陈与义

陈与义（1090—1138），字去非，号简斋居士，祖籍京兆（今陕西西安），后随祖迁居洛阳。政和三年（1113）进士，南宋后官至参知政事。在南北宋之交，颇有诗名，诗之成就大过于词，后世称其为"江西诗派三宗"之一。其词语意超绝，清婉奇丽。存词不多，有《简斋词集》。

临江仙

高咏《楚词》酬午日[1]，天涯节序匆匆[2]。榴花不似舞裙红，无人知此意，歌罢满帘风。

万事一身伤老矣，戎葵凝笑墙东³。酒杯深浅去年同，试浇桥下水，今夕到湘中⁴。

【注解】

1午日：即端午节，咏《楚辞》以纪念屈原。　2节序：节令，时节。　3戎葵：即蜀葵，两年生草本，花有红、黄、白等色。　4湘中：指汨罗江，汨罗江为湘江支流。

临江仙 夜登小阁忆洛中旧游

忆昔午桥桥上饮¹，坐中多是豪英。长沟流月去无声²，杏花疏影里，吹笛到天明。

二十余年如一梦，此身虽在堪惊。闲登小阁看新晴³，古今多少事，渔唱起三更。

【注解】

1午桥：在洛阳城南。　2长沟：此处指护城河。　3新晴：指初晴的月夜。

蔡 伸

蔡伸(1088—1156)，字伸道，号友古居士。莆田(今属福建)人。政和五年(1115)进士，历官太学博士，官至左中大夫。少有文名，善书法，工于词。词风凄婉感伤。有《友古居士词》一卷。

苏武慢

雁落平沙,烟笼寒水,古垒鸣笳声断。青山隐隐,败叶萧萧,天际暝鸦零乱。楼上黄昏,片帆千里归程,年华将晚。望碧云空暮[1],佳人何处,梦魂俱远。

忆旧游、邃馆朱扉,小园香径,尚想桃花人面[2]。书盈锦轴,恨满金徽[3],难写寸心幽怨。两地离愁,一尊芳酒凄凉,危阑倚遍。尽迟留[4]、凭仗西风,吹干泪眼。

【注解】

1碧云空暮:语自沈约诗句:"日暮碧云合,佳人殊未来。" 2桃花人面:用唐崔护诗"人面不知何处去,桃花依旧笑东风"之典。 3锦轴:用苏蕙绣《回文璇玑图》寄托相思之典故。金徽:本为琴上系弦之绳,此处代指琴。 4迟留:逗留,停留。

柳梢春

数声鹢鹢[1],可怜又是、春归时节。满院东风,海棠铺绣,梨花飘雪。

丁香露泣残枝,算未比、愁肠寸结。自是休文[2],多情多感,不干风月。

【注解】

1鹢鹢:通常指杜鹃鸟。 2休文:指南朝沈约,字休文,武康人,因忧郁成病,体态消瘦。

周紫芝

周紫芝（1082—1155），字少隐，号竹坡居士，宣城（今属安徽）人。周紫芝少贫而好学，曾师从李之仪、吕本中。绍兴十二年（1142）始登第，官至枢密院编修。晚年曾以诗文谀颂秦桧父子，受后人诟病。其词风近晏几道，清丽含蓄。有《竹坡词》三卷。

鹧鸪天

一点残釭欲尽时[1]，乍凉秋气满屏帏。梧桐叶上三更雨[2]，叶叶声声是别离。

调宝瑟，拨金猊[3]，那时同唱《鹧鸪词》[4]。如今风雨西楼夜，不听清歌也泪垂。

【注解】

1 釭（gāng）：灯盏。　2"梧桐叶"两句：温庭筠有词："梧桐树，三更雨，不道离情正苦。一叶叶，一声声，空阶滴到明。"　3 金猊（ní）：两边饰有铜狮的香炉。　4 鹧鸪词：指唐时名曲《鹧鸪天》。《异物志》中载："鹧鸪其志怀南，不思北徂，南人闻之则思家，故郑谷诗云：'坐中亦有江南客，莫向春风唱鹧鸪。'"后常以"鹧鸪"代指思乡之情。

踏莎行

情似游丝，人如飞絮，泪珠阁定空相觑[1]。一溪烟柳万丝垂，无因系得兰舟住。

雁过斜阳，草迷烟渚，如今已是愁无数。明朝且做莫思量，如何过得今宵去！

【注解】

1 阁定：指眼泪含在眼眶之中。觑（qù）：瞧，看。

李 甲

李甲（生卒年不详），字景元，华亭（今上海松江）人。元符中曾为武康令。擅作画，尤工于画翎羽，曾受到画家米芾赞赏。偶有词作，词风近似柳永。

帝台春

芳草碧色，萋萋遍南陌。暖絮乱红，也似人[1]，春愁无力。忆得盈盈拾翠侣，共携赏、凤城寒食[2]。到今来，海角逢春，天涯为客。

愁旋释，还似织。泪暗拭，又偷滴。漫伫立、倚遍危阑，尽黄昏，也只是、暮云凝碧[3]。拼则而今已拼了[4]，忘则怎生便忘得。又还问鳞鸿[5]，试重寻消息。

1 也似人：一作"也知人"。　2凤城：指京都。　3暮云凝碧：江淹有诗《休上人怨别》："日暮碧云合，佳人殊未来。"　4拼：此处意为舍弃。　5鳞鸿：鱼和雁，即"鱼传尺素"、"雁足传书"之说。

李重元

李重元（生卒年不详），生平事迹不详。生活在北宋末南宋初，存词四首《忆王孙》，分别为咏春、夏、秋、冬，以咏春篇最佳。

忆王孙

萋萋芳草忆王孙[1]，柳外楼高空断魂，杜宇声声不忍闻[2]。欲黄昏，雨打梨花深闭门。

【注解】

1 萋萋芳草：刘安《招隐士赋》中有："王孙游兮不归，春草生兮萋萋。"王孙：本意为贵族子孙，古时常用来泛指青年男子。　2杜宇：即杜鹃鸟，相传为古蜀帝杜宇魂魄所化，鸣声凄厉，诗词中常用来引出思乡之情。

万俟咏

万俟（mò qí）咏（生卒年不详），万俟为复姓，字雅言，自号大梁词隐。工于诗词，但屡试不第，遂绝意仕途，纵情歌酒，徽宗政和初，被授予大晟府制撰，与田为等人应制作曲。万俟精于音律，创制词谱甚多，词风平实雅致。黄升、黄庭坚对他颇为推崇。有《大声集》，已失传，存词二十七首。

三 台 清明应制[1]

见梨花初带夜月，海棠半含朝雨。内苑春、不禁过青门[2]，御沟涨、潜通南浦。东风静，细柳垂金缕，望凤阙[3]、非烟非雾。好时代、朝野多欢，遍九陌[4]、太平箫鼓。

乍莺儿百啭断续，燕子飞来飞去。近绿水、台榭映秋千，斗草聚[5]、双双游女。饧香更[6]、酒冷踏青路。会暗识、夭桃朱户[7]。向晚骤、宝马雕鞍，醉襟惹、乱花飞絮。

正轻寒轻暖漏永，半阴半晴云暮。禁火天[8]、已是试新妆，岁华到、三分佳处。清明看、汉蜡传宫炬。散翠烟、飞入槐府[9]。敛兵卫、阊阖门开，住传宣、又还休务[10]。

【注解】

1 应制：奉皇帝之命而作词曲称应制。 2 青门：指京都的东南门。 3 凤阙：阙，皇宫城门前的望楼称"阙"，汉代建章宫，塑凤形于望楼之上，后亦以"凤阙"代指皇宫。 4 九陌：泛指京都的大路。 5 斗草：古时坊间流行的一种游戏。春天时妇孺采百草之余嬉戏，分文斗和武斗两种，文斗以草名相对，比如"狗尾草"对"鸡冠花"，"观音柳"对"罗汉松"；武斗则为幼童之戏，以草茎或叶茎相勾，茎断者输。 6 饧（táng）：即麦芽糖。 7 夭桃：艳丽而茂盛的桃花。语出《诗经·周南·桃夭》："桃之夭夭，灼灼其华"。 8 禁火天：即寒食节，在清明前一两日。 9 槐府：代指贵人宅邸，古时大户人家门前多种槐树。此句化用唐代韩翃《寒食》诗："日暮汉宫传蜡烛，轻烟散入五侯家。" 10阊阖（chāng hé）：本指传说中的天门，后多代指皇宫城门。
休务：停止公务，即放假。

徐 伸

徐伸（生卒年不详），字干臣，三衢（今浙江宁波）人。知音律，政和初为太常典乐，后出知常州。有《青山乐府》，今不传，存词一首。

二郎神

闷来弹鹊[1]，又搅碎、一帘花影。漫试着春衫，还思纤手，熏彻金猊烬冷[2]。动是愁端如何向？但怪得、新来多病。嗟旧日沈腰，如今潘鬓[3]，怎堪临镜？

重省，别时泪湿[4]，罗衣犹凝。料为我厌厌[5]，日高慵起，长托春酲未醒[6]。雁足不来[7]，马蹄难驻，门掩一庭芳景。空伫立，尽日阑干，倚遍昼长人静。

【注解】

1弹鹊：用弹弓射鸟。　2金猊（ní）：装饰有金狮的香炉。　3沈腰：南朝梁沈约曾致书徐勉称："老病百日数旬，革带常应移孔。"后世诗词多以"沈腰"代指腰围瘦损。潘鬓：晋潘岳作《秋兴赋》："斑鬓彭以承弁兮，素发飒以垂颌。"后则代指人中年鬓发初白。　4泪湿：一作"泪滴"。　5厌厌：同"恹恹"，形容人精神萎靡不振的样子。　6酲（chéng）：醉酒。　7雁足：《汉书·苏武传》中载："天子射上林中得雁，足有系帛书，言武等在某泽中。"后世诗词多以鸿雁作为传递书信的使者与代称。

田 为

田为（生卒年不详），字不伐，善琵琶，通音律。政和末，于大晟府供职，宣和元年为乐令。他工于格律，词风婉约含蓄。

江神子慢

玉台挂秋月[1]，铅素浅[2]、梅花傅香雪[3]。冰姿洁，金莲衬[4]、小小凌波罗袜。雨初歇，楼外孤鸿声渐远，远山外、行人音信绝。此恨对语犹难，那堪更寄书说。

教人红消翠减，觉衣宽金缕，都为轻别。太情切，消魂处、画角黄昏时节，声呜咽。落尽庭花春去也，银蟾迥[5]、无情圆又缺。恨伊不似余香，惹鸳鸯结。

【注解】

1玉台：传说中仙人的居所。 2铅素：指纸笔。3傅：同"覆"。 4金莲：指女子纤足。 5银蟾：指明月。迥（jiǒng）：遥远。

曹 组

曹组（生卒年不详），字彦章，改字元宠，颍昌（今河南许昌）人。曾六次应举不第，到宣和三年（1121），才殿试中甲，赐同进士出身，官至睿思殿应制。曹组热衷功名，常以词邀宠于徽宗，却也不乏清幽脱尘之作。

蓦山溪 梅

洗妆真态，不作铅华御[1]。竹外一枝斜[2]，想佳人天寒日暮[3]。黄昏院落，无处着清香，风细细，雪垂垂，何况江头路。

月边疏影，梦到消魂处。结子欲黄时，又须作廉纤细雨。孤芳一世，供断有情愁，消瘦损，东阳也[4]，试问花知否？

【注解】

1 不作：一作"不假"。 2 竹外一枝斜：语本苏轼诗："竹外一枝斜更好。" 3 天寒日暮：语本杜甫诗："天寒翠袖薄，日暮倚修竹。" 4 东阳：指南朝梁沈约，沈约做过东阳太守，曾因病而瘦损。

李 玉

李玉（生卒年不详），生平不详。约生活在北宋末南宋初。《花庵词选》存其词一首，因而留名。词风绮丽风流。

贺新郎

篆缕消金鼎[1]，醉沉沉、庭阴转午，画堂人静。芳草王孙知何处？惟有杨花糁径[2]。渐玉枕、腾腾春醒，帘外残红春已透，镇无聊、殢酒厌厌病[3]。云鬓乱，未忺整[4]。

江南旧事休重省，遍天涯、寻消问息，断鸿难倩[5]，月满西楼凭阑久，依旧归期未定。又只恐、瓶沉金井[6]，嘶骑不来银烛暗⁷，枉教人、立尽梧桐影。谁伴我，对鸾镜⁸。

【注解】

1篆缕：篆香袅烟缕缕。篆香，为古人常用之熏香一种。金鼎：指香炉。 2糁（sǎn）径：飘散在小路之上。 3殢（tì）：被延误，困扰。 4忺（xiān）：乐意，高兴。 5倩（qìng）：请求。 6瓶沉金井：白居易有诗："瓶沉簪折知奈何，似妾今朝与君别。" 7嘶骑（jì）：嘶叫着的马儿。 8鸾镜：镜子的美称。

廖世美

廖世美（生卒年不详），生平不详。《花庵绝妙词选》存其词二首。况周颐《蕙风词话》赞其《烛影摇红》："此等词一再吟诵，辄沁人心脾，毕生不能忘"，"真能不愧绝妙二字"。

烛影摇红 题安陆浮云楼¹

霭霭春空²，画楼森耸凌云渚。紫薇登览最关情³，绝妙夸能赋。惆怅相思迟暮，记当日、朱阑共语。塞鸿难问，岸柳何穷，别愁纷絮。

催促年光，旧来流水知何处？断肠何必更残阳，极目伤平楚。晚霁波声带雨⁴，悄无人、舟横野渡。数峰江上，芳草天涯，参差烟树。

【注解】

1 安陆:今湖北安陆县。　2 蔼(ǎi)蔼:形容云彩密集的样子。　3 紫薇:指紫薇郎,官职名。唐代中书郎的别称。一解作"紫微星",位于北斗星东北。　4 霁:雨停。此句化用韦应物诗:"春潮带雨晚来急,野渡无人舟自横。"

吕滨老

吕滨老(生卒年不详),一作吕渭老,字圣求,嘉兴(今属浙江)人。宣和、靖康年间,有诗名于当世。亦工于词,词风婉约绵丽。有《圣求词》一卷。

薄　幸

青楼春晚,昼寂寂、梳匀又懒。乍听得、鸦啼莺哢[1],惹起新愁无限。记年时、偷掷春心,花前隔雾遥相见。便角枕题诗[2],宝钗贳酒[3],共醉青苔深院。

怎忘得、回廊下,携手处、花明月满。如今但暮雨,蜂愁蝶恨,小窗闲对芭蕉展。却谁拘管?尽无言、闲品秦筝,泪满参差雁。腰肢渐小,心与杨花共远。

【注解】

1 哢(lòng):鸟鸣。　2 角枕:用兽角装饰的枕头。　3 贳(shì)酒:赊酒。

鲁逸仲

鲁逸仲（生卒年不详），孔夷隐居时的别名。孔夷字方平，号汝州龙兴（今属河南）人。元祐年间，隐居滍阳，自号滍皋渔父，词风婉约清丽。存词三首。

南　浦

风悲画角，听《单于》、三弄落谯门¹。投宿骎骎征骑²，飞雪满孤村。酒市渐阑灯火，正敲窗、乱叶舞纷纷。送数声惊雁，乍离烟水，嘹唳度寒云。

好在半胧淡月，到如今、无处不消魂。故国梅花归梦，愁损绿罗裙³。为问暗香闲艳，也相思、万点付啼痕。算翠屏应是，两眉余恨倚黄昏。

【注解】

1 单（chán）于：曲名。唐代《大角曲》中有《大单于》《小单于》。谯门：城门上的望楼，亦称"谯楼"。　2 骎（qīn）骎：形容马儿飞驰的样子。　3 绿罗裙：此处指代故乡的恋人。

岳　飞

岳飞（1103—1141），字鹏举，相州汤阴（今河南汤阴县）人，南宋著名抗金将领。岳飞出身布衣，宣和四年（1122）应征入伍，于抗金战争中屡挫金兵，官至枢密副使，封武昌郡开国公。因反对和议，力主北伐，被权臣秦桧以"莫须有"之罪名杀害，谥号武忠。其词作多写戎马生涯与爱国豪情，《满江红》更是慷慨激昂、大气磅礴之作，后成为历代军营振作士气之曲，传唱千古。存词三首，有《忠武文集》十卷。

满江红

怒发冲冠，凭阑处、潇潇雨歇。抬望眼、仰天长啸，壮怀激烈。三十功名尘与土，八千里路云和月。莫等闲、白了少年头，空悲切！

靖康耻[1]，犹未雪。臣子恨，何时灭！驾长车踏破、贺兰山缺[2]。壮志饥餐胡虏肉，笑谈渴饮匈奴血[3]。待从头、收拾旧山河，朝天阙[4]。

【注解】

1 靖康耻：指靖康二年（1127），金人攻陷汴京，虏徽宗、钦宗二帝北去，北宋遂灭亡。　2 贺兰山：在宁夏西北，此处借指边塞关山。　3 胡虏、匈奴：此处借代指金兵。　4 朝天阙：朝见皇帝。

张抡

张抡（lún，生卒年不详），字材甫，号莲社居士，开封（今属河南）人。曾于淳熙五年（1178）做过宁武军节度使，官至知阁。多以艳丽词章邀宠，偶有清秀之作。有《莲社词》一卷。

烛影摇红 上元有怀

双阙中天[1]，凤楼十二春寒浅[2]。去年元夜奉宸游，曾侍瑶池宴[3]。玉殿珠帘尽卷，拥群仙、蓬壶阆苑[4]。五云深处[5]，万烛光中，揭天丝管。

驰隙流年，恍如一瞬星霜换。今宵谁念泣孤臣，回首长安远。可是尘缘未断，漫惆怅、华胥梦短[6]。满怀幽恨，数点寒灯，几声归雁。

【注解】

1双阙：皇宫门前两边高大的楼台。 2凤楼：指皇宫内的楼观。 3瑶池：传说中王母所居之仙境。此处指皇宫内的池塘。 4蓬壶：传说中的仙山，又名蓬莱。阆（làng）苑：传说中西王母所居之地，亦泛指神仙居所。此处指皇宫内宫阁山色。 5五云：指五色祥云。 6华胥：传说中上古的国度。《列子》中有："黄帝昼寝，梦游华胥之国。"

程 垓

程垓（gāi，生卒年不详），字正伯，号书舟，眉山（今属四川）人。苏轼表兄弟程正辅之孙。少有词名，多写羁旅行役、离愁别绪，词风凄婉绵丽，洒脱隽永。存词一百五十余首，有《书舟词》。

水龙吟

　　夜来风雨匆匆，故园定是花无几。愁多怨极，等闲孤负，一年芳意。柳困桃慵，杏青梅小，对人容易[1]。算好春长在，好花长见，原只是、人憔悴。

　　回首池南旧事[2]。恨星星[3]、不堪重记。如今但有，看花老眼，伤时清泪。不怕逢花瘦，只愁怕、老来风味。待繁红乱处，留云借月[4]，也须拼醉。

【注解】

　　1 容易：指春光易逝，太过草草。　2 池南：地名。当为蜀地。　3 星星：形容头发花白。谢灵运有诗："戚戚感物叹，星星白发垂。"　4 留云借月：留住云彩，借来月光。意为珍惜时光。朱敦儒有词《鹧鸪天》："曾批给雨支风券，累奏留云借月章。"

张孝祥

　　张孝祥（1132—1169），字安国，号于湖居士，历阳乌江（今安徽和县）人。绍兴二十四年（1154）进士第一，官至显谟阁直学士。他为人刚直，曾为岳飞辩冤，反对和议，力主北伐，因而屡受主和派排挤。其词以抒发爱国豪情为主，上承苏轼，下启稼轩，气势雄浑，声律宏迈，善用典故，而语意峻峭，开启了爱国词派的先河。有《于湖居士长短句》五卷。

六州歌头

　　长淮望断，关塞莽然平[1]。征尘暗，霜风劲，悄边声。黯消凝，追思当年事，殆天数，非人力，洙泗上[2]，弦歌地，亦膻腥[3]。隔水毡乡，落日牛羊下，区脱纵横[4]。看名王宵猎[5]，骑火一川明，笳鼓悲鸣，遣人惊。

　　念腰间箭，匣中剑，空埃蠹[6]，竟何成。时易失，心徒壮，岁将零，渺神京。干羽方怀远[7]，静烽燧，且休兵。冠盖使，纷驰骛，若为情。闻道中原遗老，常南望、翠葆霓旌[8]。使行人到此，忠愤气填膺，有泪如倾。

【注解】

　　1 "长淮"二句：长淮：即淮河。宋金绍兴和议，以淮水为疆界。　2 洙泗：洙水和泗水，流经曲阜，孔子曾讲学之地。　3 膻腥：牛羊的腥臊之气，此处指被金兵所玷污。　4 区（ōu）脱：指汉时匈奴为防守汉军而在边境筑造土窝以监视防守，此处指胡人的哨所土堡。　5 名王宵猎：指金兵首领夜间行猎。　6 埃蠹（dù）：尘埃和蛀虫。　7 干羽：木盾和雉尾，古时舞者的道具。《尚书·大禹谟》中有："舞干羽于两阶。"舞干羽为古代庙堂祭祀之舞。怀远：指安抚边远少数民族，使其归顺。此处指宋朝廷屈辱求和。　8 翠葆霓旌：指皇帝的仪仗。翠葆，翠羽装饰的华盖。霓旌，以五彩羽毛装饰的旗子。

念奴娇

　　洞庭青草[1]，近中秋、更无一点风色。玉界琼田三万顷[2]，着我扁舟一叶。素月分辉，银河共影，表里俱澄澈。怡然心会，妙处难与君说。

应念岭海经年³，孤光自照，肝胆皆冰雪。短发萧骚襟袖冷⁴，稳泛沧浪空阔。尽挹西江，细斟北斗⁵，万象为宾客⁶。扣舷独啸，不知今夕何夕。

【注解】

1青草：湖名，青草湖与洞庭湖相连，亦总称洞庭湖。　2玉界琼田：形容月光下的湖面皎洁如玉。　3岭海经年：岭海，五岭以南，大海以北。即指两广之地。张孝祥曾兼广南西路经略安抚使，后辞官离开。　4萧骚：稀疏。　5挹（yì）：用器具将液体舀出。北斗：北斗星。此句意为把西来的江水都当做酒，用天上的北斗星当作酒器来斟酌。《楚辞·九歌·东君》中有："援北斗兮酌桂浆。"　6万象：一切自然景象。

韩元吉

韩元吉（1118—1187），字无咎，号南涧翁，许昌（今属河南）人，南渡后寓居信州（今江西上饶），官至吏部尚书。与文人名流多有交游，以诗词唱和。其词多伤悼故国，寄托忧思，却不失豪放。间或抒写小景，清幽感人。今存词八十余首，有《南涧诗余》。

六州歌头 桃花

东风着意，先上小桃枝。红粉腻，娇如醉，倚朱扉。记年时，隐映新妆面，临水岸，春将半，云日暖，斜桥转，夹城西。草软莎平，跋马垂杨渡¹，玉勒争嘶²。认蛾眉凝笑，脸薄拂燕脂³。绣户曾窥，恨依依。

共携手处，香如雾，红随步⁴，怨春迟。消瘦损，凭谁问？只花知，泪空垂。旧日堂前燕，和烟雨，又双飞。人自老，春长好，梦佳期。前度刘郎，几许风流地，花也应悲⁵。但茫茫暮霭，目断武陵溪⁶，往事难追。

【注解】

1 跋马：即勒马。　2 玉勒：勒，马络头，此处代指马。　3 燕脂：即胭脂。　4 红随步：指落花满地。　5"前度"三句：暗用刘禹锡"桃花净尽菜花开"、"前度刘郎今又来"之诗意。　6 武陵溪：用陶渊明《桃花源记》中武陵人缘溪而行误入桃花源之事，此处指旧迹难寻。

好事近 汴京赐宴，闻教坊乐，有感¹

凝碧旧池头²，一听管弦凄切。多少梨园声在³，总不堪华发。杏花无处避春愁，也傍野烟发。惟有御沟声断，似知人呜咽。

【注解】

1 汴京赐宴：《金史》中载："大定十三年（1173）三月癸巳朔，宋遣试礼部尚书韩元吉、利州观察使郑兴裔等贺万春节。"可知此为作者出使金朝，至汴京时所作。　2 凝碧池：在洛阳皇宫之内。安禄山曾攻陷长安、洛阳，在凝碧池摆宴。时王维被拘，闻此事赋诗云："万户伤心生野烟，百官何日再朝天？秋槐叶落空宫里，凝碧池头奏管弦。"　3 梨园：相传唐玄宗创戏剧，选乐工、宫女数百人，教习戏曲于梨园，称梨园子弟。白居易《长恨歌》中有句："梨园弟子白发新。"

袁去华

袁去华（生卒年不详），字宣卿，奉新（今属江西）人。绍兴十五年（1145）进士。曾任善化（今湖南长沙）、石首（今属湖北）知县。与杨万里等有交游。其词洒脱流畅，存词九十八首，有《宣卿词》。

瑞鹤仙

郊原初过雨，见败叶零乱[1]，风定犹舞。斜阳挂深树，映浓愁浅黛，遥山媚妩。来时旧路，尚岩花[2]、娇黄半吐。到而今，惟有溪边流水，见人如故。

无语，邮亭深静[3]，下马远寻，旧曾题处。无聊倦旅，伤离恨，最愁苦。纵收香藏镜[4]，他年重到，人面桃花在否[5]？念沉沉、小阁幽窗，有时梦去。

【注解】

1 败叶：一作"数叶"。　2 岩花：生于岩缝的花草。　3 邮亭：驿站，小旅馆。　4 收香藏镜：收香：用晋贾充之女贾午窃香以赠韩寿之典故。藏镜：用徐德言与妻乐昌公主离别时各持破镜的一半，约他日破镜重圆之典故。意为收藏爱情信物。　5 人面桃花：用唐崔护"人面不知何处去，桃花依旧笑春风"之诗意。

剑器近

夜来雨，赖倩得、东风吹住。海棠正妖娆处，且留取。悄庭户，试细听、莺啼燕语，分明共人愁绪，怕春去。

佳树，翠阴初转午。重帘未卷，乍睡起、寂寞看风絮。偷弹清泪寄烟波，见江头故人，为言憔悴如许。彩笺无数，去却寒暄¹，到了浑无定据²。断肠落日千山暮。

【注解】

1 去却寒暄：除却一些嘘寒问暖的客套话。　2 到了（liǎo）：到头来。浑无定据：完全没有一句准话，指怨念所思之人不知何时归来。

安公子

弱柳千丝缕，嫩黄匀遍鸦啼处。寒入罗衣春尚浅，过一番风雨。问燕子来时，绿水桥边路，曾画楼、见个人人否¹？料静掩云窗，尘满哀弦危柱²。

庾信愁如许³，为谁都着眉端聚⁴。独立东风弹泪眼，寄烟波东去。念永昼春闲，人倦如何度？闲傍枕、百啭黄鹂语。唤觉来厌厌⁵，残照依然花坞⁶。

【注解】

1 个人人：即那个人。　2 哀弦危柱：指弹奏哀怨乐曲的乐器。　3 庾信愁如许：庾信作有《愁赋》，今已失传。　4 为谁：为什么。　5 觉（jué）来：醒来。厌厌：同"恹恹"，慵懒的样子。　6 花坞（wù）：四周高中央低的花木深处。

陆淞

陆淞（1109—1182），字子逸，号雪溪，山阴（今浙江绍兴）人。陆游的长兄，曾做过辰州知府，官至左朝请大夫。晚年因病辞官，卜居秀野。存词两首。

瑞鹤仙

脸霞红印枕，睡觉来[1]、冠儿还是不整。屏间麝煤冷[2]，但眉峰压翠，泪珠弹粉。堂深昼永，燕交飞、风帘露井。恨无人，说与相思，近日带围宽尽[3]。

重省，残灯朱幌，淡月纱窗，那时风景。阳台路迥，云雨梦[4]，便无准。待归来，先指花梢教看，欲把心期细问。问因循[5]、过了青春，怎生意稳？

【注解】

1 睡觉（jué）来：睡醒来。　2 麝（shè）煤：一种名贵香墨的别称。此处代指屏风上的画。　3 带围宽尽：衣带变宽，形容体态削瘦。　4 阳台：指男女欢会之所。迥（jiǒng）：遥远。云雨梦：指男女欢爱之事。　5 因循：蹉跎，疏懒。

陆 游

陆游（1125—1210），字务观，号放翁，山阴（今浙江绍兴）人。绍兴二十三年（1153）省试第一，后被秦桧除名。后孝宗即位，赐进士出身，仕途坎坷，官至宝章阁待制。他因力主抗金，仕途上屡受排挤；中年入蜀，投身军旅，但始终不受重用；晚年罢归山阴，乡居近二十年，至死仍葆有"王师北定中原日"的爱国豪情。他是南宋最杰出的爱国诗人，其诗成就颇高，亦擅长填词。其词风多变，却又独具特色。其词雄浑激昂者，堪比稼轩，而清丽飘逸者，又不下于秦观；亦有苍凉高远者，宛如苏轼。存词一百三十余首，有《放翁词》。

卜算子 咏梅

驿外断桥边，寂寞开无主[1]。已是黄昏独自愁，更着风和雨。无意苦争春，一任群芳妒。零落成泥碾作尘，只有香如故。

【注解】

1 无主：没有归属，无人问津。

陈 亮

陈亮（1143—1194），字同甫，号龙川先生。婺州永康（今浙江永康县）人。绍熙四年（1193）进士。《宋史》称其"为人才气超迈，喜谈兵，议论风生，下笔数千言立就"。因反对议和，而屡遭迫害，五十岁时始授建康军节度判官厅公事，赴任途中即病逝。与辛弃疾交友，时有唱和，词亦相似。其词多直抒胸臆，将爱国豪情及身世愤慨寄于词中。词风豪放跌宕，气势磅礴，但艺术成就尚不及稼轩，有《龙川词》传世。

水龙吟 春恨

闹花深处楼台¹，画帘半卷东风软。春归翠陌，平莎茸嫩，垂杨金浅。迟日催花，淡云阁雨²，轻寒轻暖。恨芳菲世界，游人未赏，都付与莺和燕。

寂寞凭高念远，向南楼、一声归雁。金钗斗草³，青丝勒马，风流云散。罗绶分香⁴，翠绡封泪，几多幽怨？正消魂、又是疏烟淡月，子规声断⁵。

【注解】

1 闹花：即繁华。　2 阁雨：指雨停止，阁，同"搁"。　3 金钗斗草：女子玩起斗草的游戏。斗草：古时民间一种游戏。《荆楚岁时记》中载："五月五日有斗百草之戏。"　4 罗绶(shòu)分香：以丝带赠别。绶，丝带。　5 子规：即杜鹃鸟。俗称杜鹃鸣叫声为"不如归去"。一说暗含未能收复失地之怨念。

范成大

范成大（1126—1193），字致能，号石湖居士，吴郡（今江苏苏州）人。绍兴二十四年（1154）进士，官至参知政事。乾道六年（1170）作为宋使出使金国，索取河南诸帝陵寝之地，言辞慷慨，不辱使命。其田园诗颇负盛名，成就高过词作，与杨万里、陆游、尤袤合称南宋"中兴四大诗人"。其词早期多写柔情相思，近于婉约派；中后期则渐趋豪放，近于苏轼。擅写乡村生活与自然风光，词调清新明快，有《石湖词》传世。

忆秦娥

楼阴缺，阑干影卧东厢月。东厢月，一天风露，杏花如雪。
隔烟催漏金虬咽[1]，罗帏黯淡灯花结。灯花结，片时春梦，江南天阔[2]。

【注解】

1 金虬（qiú）：虬，为生角之龙。金虬指装置在计时的漏器上的铜龙，水从龙口中滴出以计时。 2 片时春梦，江南天阔：唐岑参有诗："枕上片时春梦中，行尽江南数千里。"

眼儿媚

萍乡道中乍晴[1]，卧舆中困甚，小憩柳塘。

酣酣日脚紫烟浮[2]，妍暖破轻裘。困人天色，醉人花气，午梦扶头[3]。

春慵恰似春塘水，一片縠纹愁[4]。溶溶曳曳[5]，东风无力，欲避还休。

【注解】

1萍乡：今江西萍乡市。　2酣酣：浓浓，盛足状。日脚：穿过云层照在地面上的日光。　3扶头：头晕沉时以手扶的姿态。亦有酒名"扶头酒"，常在诗词中形容酒醉后之态。4縠(hú)纹：像有褶皱的纱布一般的波纹。　5溶溶曳曳：水波荡漾的样子。

霜天晓角 梅

晚晴风歇，一夜春威折[1]。脉脉花疏天淡，云来去，数枝雪。
胜绝[2]，愁亦绝，此情谁共说。惟有两行低雁，知人倚，画楼月。

【注解】

1春威：指早春寒冷的威力。折：挫折，折损。　2胜绝：指景色绝妙，美极了。

辛弃疾

辛弃疾（1140—1207），字幼安，号稼轩，历城（今山东济南）人，南宋最杰出的爱国词人。二十一岁时曾聚众二千人参加抗金起义军，并任掌书记，作战英勇。绍兴三十一年（1161）南下见高宗，授江阴签判，而后辗转仕途，官至兵部侍郎，为抗金不遗余力，却因朝廷昏庸，始终无法得到重用，伸展其抱负，只得将一腔忠愤，发泄到词的创作，从而成为一代词宗。存词六百余首，为两宋词人之最。其词风格多样，以豪放为主。抒写抗金报国之词，慷慨纵横，壮志凌云，沉郁苍凉而豪气冲天；描写景物恋情，亦能清新活泼，明快精炼，充满浓郁的乡土气息。其词艺术成就极高，与苏轼并称"苏辛"，有《稼轩长短句》《美芹十论》《九议》等传世。

贺新郎 别茂嘉十二弟[1]

绿树听鹈鴂[2]，更那堪、鹧鸪声住，杜鹃声切。啼到春归无啼处[3]，苦恨芳菲都歇。算未抵、人间离别。马上琵琶关塞黑[4]，更长门[5]、翠辇辞金阙，看燕燕，送归妾[6]。

将军百战身名裂，向河梁[7]、回头万里，故人长绝。易水萧萧西风冷[8]，满座衣冠似雪。正壮士、悲歌未彻。啼鸟还知如许恨，料不啼清泪长啼血，谁共我，醉明月？

【注解】

1 茂嘉十二弟：辛茂嘉，稼轩之族弟，排行十二，生平不详。 2 鹈鴂：即伯劳鸟，常于春分时鸣。 3 一作"无寻处"。 4 马上琵琶：用王昭君出塞之事。晋代石崇《王昭君辞序》中载："昔公主嫁乌孙，令琵琶马上作乐，以慰其道路之思。" 5 长门：汉武帝时陈皇后失宠，被贬居长门宫。 6 看燕燕，送归妾：语自《诗经·邶风·燕燕》："之子于归，远送于野。瞻望弗及，泣涕如雨。"《毛传》曰："卫庄姜送归妾也。" 7 "将军"，指汉代李陵，李陵出战匈奴，因矢尽粮绝、援兵不至而降，汉武帝怒而抄其家。河梁：《文选》

李陵《与苏武诗》："携手上河梁，游子暮何之？" 8"易水"句：指荆轲赴秦刺秦王，燕太子与宾客白衣冠易水送行。荆轲作歌曰："风萧萧兮易水寒，壮士一去兮不复还"。

念奴娇 书东流村壁[1]

野棠花落，又匆匆过了，清明时节。划地东风欺客梦[2]，一枕云屏寒怯。曲岸持觞，垂杨系马，此地曾轻别。楼空人去，旧游飞燕能说[3]。

闻道绮陌东头[4]，行人曾见，帘底纤纤月[5]。旧恨春江流不尽，新恨云山千叠。料得明朝，尊前重见，镜里花难折[6]。也应惊问，近来多少华发？

【注解】

1 东流：池州东流县(今属安徽)，淳熙五年(1178)稼轩自江西过此。 2 划(chǎn)地：宋时方言，无端地，平白无故地。 3"楼空"句：苏轼《永遇乐》中有："燕子楼空，佳人何在？空锁楼中燕。" 4 绮陌：多彩的大道，宋人多用以指花街柳巷。 5 纤纤月：比喻美人之足。 6 镜里花：比喻佳人纵使重逢，亦如镜花水月，可见而不可复得。

汉宫春 立春

春已归来，看美人头上，袅袅春幡[1]。无端风雨，未肯收尽余寒。年时燕子，料今宵、梦到西园。浑未办、黄柑荐酒²，更传青韭堆盘。

却笑东风，从此便熏梅染柳³，更没些闲。闲时又来镜里，转变朱颜。清愁不断，问何人会解连环⁴？生怕见、花开花落，朝来塞雁先还。

【注解】

1春幡：幡，旗帜，旧俗于立春日挂小旗，以作春来之意。　2"黄柑"：《遵生八笺》："立春日作五辛盘，以黄柑酿酒，谓之洞庭春色。故苏诗云：'辛盘得青韭，腊酒是黄柑。'"　3熏梅染柳：李贺有诗："熏梅染柳将赠君。"　4解连环：比喻愁思难解。

贺新郎 赋琵琶

凤尾龙香拨¹。自开元、《霓裳曲》罢²，几番风月。最苦浔阳江头客³，画舸亭亭待发。记出塞、黄云堆雪。马上离愁三万里⁴，望昭阳、宫殿孤鸿没，弦解语，恨难说。

辽阳驿使音尘绝⁵，琐窗寒、轻拢慢捻⁶，泪珠盈睫。推手含情还却手，一抹《梁州》哀彻⁷。千古事、云飞烟灭。贺老定场无消息⁸，想沉香亭北繁华歇⁹，弹到此，为呜咽。

【注解】

1凤尾龙香拨：拨，拨弦之工具。据传杨贵妃所用琵琶以龙香板为拨，以檀木为槽，有金缕红纹，尾刻双凤。　2《霓裳曲》：《霓裳羽衣曲》起于开元，盛于天宝。　3浔阳江头客：指白居易，自居易《琵琶行》首句则为："浔阳江头夜送客。"　4马上离愁：仍用昭君出塞之"马上琵琶"之典。　5辽阳：

指代征战之地。沈佺期有诗："十年征戍忆辽阳，白狼河北音书断。" 6轻拢慢捻:弹奏琵琶的手法。白居易《琵琶行》中有："轻拢慢捻抹复挑。" 7推手、却手:指弹琵琶。推手即向前拨，却手即往回拨。《梁州》:琵琶曲名。 8贺老定场:贺老，唐代贺怀智，善弹琵琶。定场，压场之意。元稹《连昌宫词》:"贺老琵琶定场屋。" 9沉香亭:唐长安宫中之地，唐玄宗曾与杨贵妃赏花沉香亭，并命李白赋《清平调》三章，李白有"解释春风无限恨，沉香亭北倚阑干"之句。

水龙吟 登建康赏心亭[1]

楚天千里清秋，水随天去秋无际。遥岑远目，献愁供恨，玉簪螺髻[2]。落日楼头，断鸿声里，江南游子，把吴钩看了[3]，阑干拍遍，无人会、登临意。

休说鲈鱼堪脍。尽西风、季鹰归未[4]？求田问舍，怕应羞见，刘郎才气[5]。可惜流年，忧愁风雨，树犹如此[6]。倩何人，唤取红巾翠袖，揾英雄泪[7]？

【注解】

1赏心亭:位于建康(今南京)下水门城上，下临秦淮河，曾为名胜。 2玉簪螺髻:形容远山。皮日休有诗《飘渺峰》:"似将青螺髻，撒在明月中。" 3吴钩:古吴国所产弯刀，此处泛指刀剑。杜甫有诗:"少年别有赠，含笑看吴钩。" 4"休说"二句:《世说新语》有载:"张季鹰在洛，见秋风起，因思吴中菰菜羹鲈鱼脍，曰:'人生贵得适意尔，何能羁宦数千里以要名爵!'遂命驾便归。" 5"求田问舍"三句:《三国志》中记载:许汜论陈元龙豪气未除，对刘备控其无礼，说陈元龙自己睡大床，让自己睡下床。刘备答说，你空有国士之名，如今天下大乱之时，你却"求田问舍"，在意这等小事。此句意为：如果自己也只想着置田卖屋之俗事，见了刘备那样的雄才伟略之人就当羞愧不已了。　6树犹如此：《世说新语》中载："东晋桓温北征，见昔日所种之柳，今已十围，慨然曰：'木犹如此，人何以堪？'"做人之易老之感慨。　7倩：烦扰，央求。揾（wèn）：原意为将物浸入水中，此处为擦拭之意。

摸鱼儿

淳熙己亥[1]，自湖北漕移湖南，同官王正之置酒小山亭为赋。

更能消、几番风雨，匆匆春又归去。惜春长怕花开早，何况落红无数。春且住！见说道、天涯芳草无归路。怨春不语，算只有殷勤，画檐蛛网，尽日惹飞絮。

长门事[2]，准拟佳期又误，蛾眉曾有人妒[3]。千金纵买相如赋，脉脉此情谁诉？君莫舞！君不见、玉环飞燕皆尘土[4]。闲愁最苦，休去倚危阑，斜阳正在，烟柳断肠处。

【注解】

1淳熙己亥：宋孝宗淳熙六年（1179），辛弃疾时年四十岁。　2长门事：司马相如《长门赋序》中载：汉武帝陈皇后失宠，"别在长门宫，愁闷悲思。闻蜀郡成都司马相如，天下工为文，奉黄金百斤，为相如文君取酒，因于解悲愁之辞。而相如为文，以悟主上，陈皇后复得亲幸"，后世常以"长门事"代指政治上的失意。　3"蛾眉"句：用《离骚》中"众女嫉予之蛾眉兮，谣诼谓予以善淫"之意，暗自对当权者不信任抗金义士表示怨愤。　4玉环飞燕：玉环，即杨贵妃；飞燕，即赵飞燕，汉成帝皇后号。

永遇乐 京口北固亭怀古 [1]

千古江山，英雄无觅、孙仲谋处 [2]。舞榭歌台，风流总被、雨打风吹去。斜阳草树，寻常巷陌，人道寄奴曾住 [3]。想当年，金戈铁马，气吞万里如虎。

元嘉草草，封狼居胥，赢得仓皇北顾 [4]。四十三年，望中犹记、烽火扬州路 [5]。可堪回首、佛狸祠下，一片神鸦社鼓 [6]。凭谁问，廉颇老矣，尚能饭否 [7]？

【注解】

1 此词为辛弃疾六十五岁为镇江知府时所作。京口：今江苏镇江，三国时称京口。北固亭：在镇江东北北固山上，下临长江，三面环水，又名北顾亭。　2 即"英雄无处觅孙仲谋"，意为像孙仲谋那样的英雄哪里也找寻不到了。　3 寄奴：即南朝宋武帝，武帝刘裕小字寄奴，早年困顿，曾住京口。后为东晋北府兵将领，击败桓玄，掌东晋大权，后灭后燕、后秦诸国，光复洛阳、长安，封宋王，后称帝。　4 "元嘉草草"三句：元嘉，宋武帝之子宋文帝年号。宋文帝草率命王玄谟出兵北伐，结果大败而归。狼居胥，山名，在今蒙古。《汉书》记载，霍去病战胜匈奴，曾追至狼居胥山。赢得：只落得。仓皇北顾：指宋军匆忙南逃时回看追兵。　5 "四十三年"三句：绍兴三十一年（1161），金人完颜亮率部侵宋，辛弃疾奉召南下参与抗金。辛弃疾1205年赴任镇江知府，距其在1162年奉表南归，路经扬州，恰好四十三年。　6 可堪：怎堪，怎能。佛狸：北魏太武帝小名佛狸。宋文帝元嘉二十七年（450），魏太武帝追王玄谟军至瓜步山，就地建行宫，后此地建起武帝庙，即佛狸祠。此处借魏太武以喻金主完颜亮。完颜亮侵宋时被倒戈的部下射杀于瓜步镇。神鸦社鼓：啄食祭品的乌鸦和祭祀的鼓声。比喻一派热闹景象。此处作者怀古以感叹如今宋人早忘了国土沦陷和金兵南侵的耻辱。　7 "凭谁问"三句：《史记·廉颇蔺相如列传》中记载：战国时，赵国名将廉颇受谗被疏，闲居大梁。

秦兵围赵，赵王有心起用，派使者探望廉颇，廉颇当着使者的面吃了一斗米，十斤肉，披甲上马，表示还可以披挂上阵。但使者受了奸臣贿赂，便在赵王面前诽谤廉颇说："廉颇将军虽老，尚善饭，然与臣坐，顷之三遗矢。"赵王以为老，遂不复起用。此处作者拿廉颇自比。

木兰花慢 滁州送范倅[1]

老来情味减，对别酒，怯流年。况屈指中秋，十分好月，不照人圆。无情水，都不管，共西风、只管送归船。秋晚莼鲈江上[2]，夜深儿女灯前[3]。

征衫便好去朝天，玉殿正思贤。想夜半承明，留教视草，却遣筹边[4]。长安故人问我，道愁肠殢酒只依然[5]。目断秋霄落雁，醉来时响空弦[6]。

【注解】

1 滁州送范倅：滁州，今属安徽。范倅名昂，曾任滁州通判。倅，副职之意。乾道八年（1172），辛弃疾在任滁州知府，是年中秋范氏离任。 2 莼鲈：用张翰临秋风思家乡鱼菜之事。 3"夜深"句：可以与儿女团聚，谈至深夜。黄庭坚有诗："儿女灯前语夜深。" 4 承明：指承明庐，宫中侍臣的住所。视草：为皇帝草拟制诰文稿。筹边：筹划边防事务。 5 殢（tì）酒：为酒所困。此句意为：如果长安的老朋友问起我来，就说我仍旧是借酒浇愁的老样子。 6 响空弦：用惊弓之鸟之典故。《战国策》载，更赢拉响空弦，即可惊落受过箭伤的飞雁。此处为作者自我感叹，胸怀志向，想要一展拳脚，却无用武之地。

祝英台近

宝钗分，桃叶渡，烟柳暗南浦[1]。怕上层楼，十日九风雨。断肠片片飞红，都无人管，更谁劝、啼莺声住？

鬓边觑[2]。应把花卜归期，才簪又重数[3]。罗帐灯昏，哽咽梦中语。是他春带愁来，春归何处？却不解、带将愁去。

【注解】

1宝钗分：古代女子别离时，间或将头上发钗断成两股相赠，以作纪念。桃叶渡：在南京秦淮河岸。晋王献之曾在此送别爱妾桃叶。南浦：古诗词中多用来泛指水边送别之地。　2觑（qù）：瞧，看。意为把戴在鬓发边的花儿取下来瞧。　3"应把"二句：数着花瓣来占卜归期，刚刚数完戴上就又取下来重数。形容盼归人之心迫切。

青玉案 元夕

东风夜放花千树，更吹落、星如雨[1]。宝马雕车香满路，凤箫声动[2]，玉壶光转，一夜鱼龙舞[3]。

蛾儿雪柳黄金缕[4]，笑语盈盈暗香去。众里寻他千百度，蓦然回首，那人却在，灯火阑珊处[5]。

【注解】

1花千树：指元夕挂满树的灯火。苏味道《上元》诗中有："火树银花合，星桥铁锁开。"星如雨：将灯火比喻为落下人间的繁星。　2凤箫：即排箫。　3玉壶、鱼龙：皆指做成不同造型的花灯。　4蛾儿雪柳：《武林旧事》中载："元夕

节物，妇人皆戴珠翠、闹蛾、玉梅、雪柳……"为当时妇女配饰。　5蓦（mò）
然：忽然。阑珊：零落、稀少的样子。

鹧鸪天 鹅湖归，病起作 [1]

枕簟溪堂冷欲秋 [2]，断云依水晚来收。红莲相倚浑如醉，
白鸟无言定自愁。

书咄咄，且休休 [3]，一丘一壑也风流 [4]。不知筋力衰多少，
但觉新来懒上楼。

【注解】

1鹅湖：山名，在今江西铅山县东北处，山上有湖，晋人龚氏居山养鹅，
后称鹅湖山。　2枕簟（diàn）：竹制的枕席。　3书咄咄：用典。晋代中军
殷浩被废，终日以手书空作"咄咄怪事"四字。此处为作者自比。休休：无
事可做，闲适的样子。也作"罢了"之意。此处两意皆有。　4一丘一壑：
代指隐士隐居之地。《太平御览》中有："黄帝谓容成子曰：'吾将钓于一壑，
栖于一丘。'"

菩萨蛮 书江西造口壁 [1]

郁孤台下清江水 [2]，中间多少行人泪。西北望长安，可怜
无数山。

青山遮不住，毕竟东流去。江晚正愁余 [3]，山深闻鹧鸪 [4]。

1造口：即皂口。位于今江西万安县西南六十里。 2郁孤台：在江西省赣县西南。清江：即赣江。建炎三年（1129），金兵追隆祐太后，经过赣江，劫掠杀戮甚惨。故有"多少行人泪"之说。 3愁余：使我发愁。 4闻鹧鸪（zhè gū）：俗称鹧鸪鸣声为"行不得也哥哥"，此处暗含对南宋只知苟安江南，而不思北上恢复失地的失望和愤慨。

姜 夔

姜夔（1155—1221），字尧章，号白石道人，饶州鄱阳（今属江西）人。南宋重要词人。他出身布衣，年少孤贫，但为人清高洒脱，少有文名，屡试不第，终生未仕，一生流离于湘鄂江淮之地，靠卖字及友人接济为生。姜夔颇受杨万里、范成大、辛弃疾等人推赏，并以清客身份与张镃等名公臣卿往来。据传其人品高洁，器宇不凡，"望之若神仙中人"。能诗词、通乐律、善书法、在词上造诣最深。其词多咏叹时事，也写湖光山色，感叹身世飘零。词风潇洒雅致、峭拔隽永，格律严密而又不失深远意味，对其后的宋词风格影响极大。姜夔精通音律，并能自创曲调，留有标注"旁谱"的《白石道人歌曲》六卷，为后世研究宋词乐律的珍贵资料。

点绛唇 丁未冬过吴松作[1]

燕雁无心，太湖西畔随云去。数峰清苦，商略黄昏雨[2]。第四桥边[3]，拟共天随住[4]。今何许？凭阑怀古，残柳参差舞。

【注解】

1丁未：宋孝宗淳熙十四年（1187）。吴松：今江苏吴县。 2商略：商量，此处意为酝酿。 3第四桥：指吴江城外甘泉桥。《苏州府志》中载："甘泉桥一名第四桥，以泉品居第四也。" 4天随：指唐代陆龟蒙，号天随子。其宅邸在松江上甫里。

鹧鸪天 元夕有所梦

肥水东流无尽期[1]，当初不合种相思[2]。梦中未比丹青见，暗里忽惊山鸟啼。

春未绿，鬓先丝[3]。人间别久不成悲。谁教岁岁红莲夜[4]，两处沉吟各自知。

【注解】

1肥水：即淝水，在今安徽境内，分东西两支，此处指东流经合肥入巢湖的一支。 2不合：不应该。 3鬓先丝：头发先白了。 4红莲：指灯，多指元宵花灯。欧阳修有句："纤手染香罗，剪红莲满城开遍。"

踏莎行

自沔东来，丁未元日[1]至金陵，江上感梦而作。

燕燕轻盈，莺莺娇软[2]，分明又向华胥见[3]。夜长争得薄情知？春初早被相思染。

别后书辞，别时针线，离魂暗逐郎行远[4]。淮南皓月冷千山，冥冥归去无人管。

【注解】

1 沔（miǎn）：今湖北汉阳。丁未：淳熙十四年（1187）。　2 燕燕、莺莺：均指所梦之情人。燕燕，指体态。莺莺，比喻声音。　3 华胥（xū）：传说中的国度，此处指梦境。　4 郎行（háng）：行，此处为方言，当这边、那边讲。

庆宫春

绍熙辛亥除夕[1]，余别石湖归吴兴，雪后夜过垂虹[2]，尝赋诗云：“笠泽茫茫雁影微，玉峰重叠护云衣。长桥寂寞春寒夜，只有诗人一舸归。”后五年冬，复与俞商卿、张平甫、铦朴翁自封禺同载[3]，诣梁溪。道经吴松，山寒天迥，云浪四合，中夕相呼步垂虹，星斗下垂，错杂渔火，朔吹凛凛，危坐不能支。朴翁以衾自缠，犹相与行吟，因赋此阕，盖过旬，涂稿乃定。朴翁咎余无益，然意所耽，不能自已也。平甫、商卿、朴翁皆工于诗，所出奇诡，余亦强追逐之，此行既归，各得五十余解。

双桨莼波[4]，一蓑松雨，暮愁渐满空阔。呼我盟鸥[5]，翩翩欲下，背人还过木末[6]。那回归去，荡云雪、孤舟夜发。伤心重见，依约眉山，黛痕低压。

采香径里春寒[7]，老子婆娑，自歌谁答？垂虹西望，飘然引去,此兴平生难遇。酒醒波远,正凝想、明珰素袜[8]。如今安在?
惟有阑干,伴人一霎。

【注解】

　　1 绍熙辛亥：光宗绍熙二年（1191）。　2 垂虹：指吴江利往桥上的垂虹亭。　3 俞商卿、张平甫、铦（xiān）朴翁：作者友人。　4 莼（chún）：即莼菜,水生植物,叶浮于水上。　5 盟鸥：谓故地重游,与鸥鸟如有旧交。　6 木末：树梢。　7 采香径：溪水名。《苏州志》中载："采香径在香山之旁,小溪也。吴王种香于香山,使美人泛舟于溪水采香。"　8 明珰（dāng）素袜：明珠白袜,此处代指美人。

齐天乐

　　丙辰岁,与张功甫会饮张达可之堂[1]。闻屋壁间蟋蟀有声,功甫约余同赋,以授歌者。功甫先成,词甚美。余徘徊茉莉花间,仰见秋月,顿起幽思,寻亦得此。蟋蟀,中都呼为促织[2],善斗。好事者或以三二十万钱致一枚,镂象齿为楼观以仁之。

　　庾郎先自吟愁赋[3],凄凄更闻私语。露湿铜铺[4],苔侵石井,都是曾听伊处。哀音似诉,正思妇无眠,起寻机杼。曲曲屏山,夜凉独自甚情绪?
　　西窗又吹暗雨,为谁频断续,相和砧杵[5]?候馆迎秋,离宫吊月[6],别有伤心无数。《豳》诗漫与[7],笑篱落呼灯,世间儿女。写入琴丝,一声声更苦。

1丙辰：指庆元二年（1196）。张功甫：即张镃。张达可：一说为张镃的堂兄弟。　2中都：即杭州。　3庾郎：指庾信，庾信作有《哀江南赋》。　4铜铺：铜制大门上用来挂门环的底座。　5砧杵（zhēn chǔ）：洗衣时用来捣捶衣服的器具。　6离宫：即行宫，天子出巡时休憩之所。　7《豳》（bīn）诗：指《诗经·豳风·七月》》"七月在野，八月在宇，九月在户，十月蟋蟀入我床下"之句。

琵琶仙

《吴都赋》云："户藏烟浦，家具画船。"惟吴兴为然，春游之盛，西湖未能过也。己酉岁[1]，余与萧时父载酒南郭[2]，感遇成歌。

双桨来时，有人似、旧曲桃根桃叶[3]。歌扇轻约飞花，蛾眉正奇绝。春渐远，汀洲自绿，更添了几声啼鴂。十里扬州，三生杜牧[4]，前事休说。

又还是宫烛分烟[5]，奈愁里匆匆换时节。都把一襟芳思，与空阶榆荚[6]。千万缕、藏鸦细柳，为玉尊、起舞回雪。想见西出阳关，故人初别[7]。

【注解】

1己酉：淳熙十六年（1189）。　2萧时父：姜夔岳父的子侄。　3桃根桃叶：桃叶，晋代王献之妾。献之曾作歌以赠之，桃叶作《团扇歌》以答。其妹名桃根。　4十里扬州，三生杜牧：十里扬州，本自杜牧诗："春风十里扬州路，卷上珠帘总不如。"　三生杜牧，本自黄庭坚诗："春风十里珠帘卷，仿佛三生杜牧之。"三生：指过去、现在、未来三世人生。 5官烛分烟：唐代韩翃有诗："日暮汉宫传蜡烛，轻烟散入五侯家。" 6"都把"二句：都把情思付与榆荚，任其飘散。空阶榆荚：韩愈《晚春》诗："杨花榆荚无才思，惟解漫天作雪飞。" 7"想见"二句：化用王维名句："劝君更尽一杯酒，西出阳关无故人。"

八 归 湘中送胡德华[1]

芳莲坠粉，疏桐吹绿，庭院暗雨乍歇。无端抱影销魂处，还见篠墙萤暗[2]，藓阶蛩切。送客重寻西去路，问水面、琵琶谁拨[3]？最可惜、一片江山，总付与啼鴂。

长恨相逢未款，而今何事，又对西风离别？渚寒烟淡，棹移人远，飘渺行舟如叶。想文君望久[4]，倚竹愁生步罗袜[5]。归来后、翠尊双饮，下了珠帘，玲珑闲看月。

【注解】

1胡德华：生平不详，当为作者友人。 2篠(xiǎo)墙：竹墙。 3琵琶谁拨：指白居易《琵琶行》"忽闻水上琵琶声"之句。 4文君：卓文君，此处借指胡德华的妻室。 5罗袜：李白诗《玉阶怨》："玉阶生白露，夜久侵罗袜。却下水晶帘，玲珑望秋月。"

念奴娇

余客武陵[1]，湖北宪治在焉。古城野水，乔木参天。余与二三友，日荡舟其间，薄荷花而饮，意象幽闲，不类人境。秋水且涸，荷叶出地寻丈，因列坐其下，上不见日，清风徐来，绿云自动，间于疏处窥见游人画船，亦一乐也。揭来吴兴[2]，数得相羊荷花中[3]。又夜泛西湖，光景奇绝，故以此句写之。

闹红一舸，记来时、尝与鸳鸯为侣。三十六陂人未到[4]，水佩风裳无数，翠叶吹凉，玉容消酒[5]，更洒菰蒲雨[6]。嫣然摇动[7]，冷香飞上诗句。

日暮，青盖亭亭，情人不见，争忍凌波去？只恐舞衣寒易落，愁入西风南浦。高柳垂阴，老鱼吹浪，留我花间住。田田多少[8]，几回沙际归路。

【注解】

1 武陵：今湖南常德县。 2 揭（qiè）来：去来。 3 相羊：同"徜徉"，徘徊之意。 4 三十六陂（bēi）：陂，池沼，湖泊。"三十六"为虚指，意为很多。 5 玉容：指荷花。 6 菰（gū）：即茭白。 7 嫣然：笑容美好的样子，此处以美人笑容形容荷花。 8 田田：形容荷叶毗连相接的样子。《古乐府》有："江南可采莲，莲叶何田田。"

139

扬州慢

淳熙丙申至日，余过维扬[1]。夜雪初霁，荠麦弥望。入其城则四顾萧条，寒水自碧，暮色渐起，戍角悲吟；余怀怆然，感慨今昔，因自度此曲。千岩老人以为有《黍离》之悲也[2]。

淮左名都，竹西佳处[3]，解鞍少驻初程。过春风十里[4]，尽荠麦青青。自胡马、窥江去后[5]，废池乔木，犹厌言兵。渐黄昏、清角吹寒，都在空城。

杜郎俊赏[6]，算而今、重到须惊。纵豆蔻词工，青楼梦好[7]，难赋深情。二十四桥仍在[8]，波心荡、冷月无声。念桥边红药[9]，年年知为谁生？

【注解】

1丙申：宋孝宗淳熙三年（1176）。至日：冬至。维扬：即扬州。　2千岩老人：即萧德藻，字东夫，以其侄女嫁姜夔为妻。黍离之悲：即国破家亡之悲。　3竹西：亭名，在扬州城禅智寺。　4春风十里：杜牧诗"春风十里扬州路，卷上珠帘总不如。"意为扬州繁华景象。　5胡马窥江：指金兵南犯扬州之事。绍兴三十年（1160），金主完颜亮南侵，曾进兵扬州。　6杜郎：即杜牧。　7豆蔻、青楼：指妓女妓院。杜牧有诗"娉娉袅袅十三余，豆蔻梢头二月初"，又有"十年一觉扬州梦，赢得青楼薄幸名"。　8二十四桥：唐时扬州繁盛，建桥二十四座，后多损毁。杜牧有诗："二十四桥明月夜，玉人何处教吹箫。"　9红药：即芍药花，唐时扬州的芍药花很有名。

长亭怨慢

余颇喜自制曲。初率意为长短句，然后协以律，故前后阕多不同。桓大司马云[1]："昔年种柳，依依汉南；今看摇落，凄怆江潭；树犹如此，人何以堪？"此语余深爱之。

渐吹尽，枝头香絮。是处人家，绿深门户。远浦萦回，暮帆零乱向何许？阅人多矣，谁得似、长亭树？树若有情时，不会得、青青如此！

日暮。望高城不见，只见乱山无数。韦郎去也，怎忘得、玉环分付[2]。第一是、早早归来，怕红萼[3]、无人为主。算空有并刀[4]，难剪离愁千缕。

【注解】

1桓大司马：指东晋桓温，官至大司马。"树犹如此"出自庾信《枯树赋》，姜夔错将其当作桓温之语。 2韦郎、玉环：此处用典。《云溪友议》中载：唐人韦皋游江夏，与歌女玉箫有情，约定七年内来迎娶，并留玉指环为信物。八年，韦皋逾期不至，玉箫遂绝食而死。 3萼（è）：花萼，借指花朵。 4并（bīng）刀：并州所产的剪刀，以锋利著称。

淡黄柳

客居合肥南城赤阑桥之西，巷陌凄凉，与江左异[1]；惟柳色夹道，依依可怜[2]。因度此曲，以纾客怀[3]。

空城晓角⁴,吹入垂杨陌。马上单衣寒恻恻。看尽鹅黄嫩绿,都是江南旧相识。

正岑寂⁵,明朝又寒食。强携酒、小桥宅⁶。怕梨花、落尽成秋色。燕燕飞来,问春何在?惟有池塘自碧。

【注解】

1江左:江东,长江下游以东地区。 2可怜:可爱。 3纾:即抒发。 4晓角:清晨的号角。 5岑寂:寂静。 6小桥宅:指情人居住之所。

暗 香

辛亥之冬,余载雪诣石湖¹。止既月,授简索句,且征新声,作此两曲,石湖把玩不已,使二妓肄习之²,音节谐婉。乃名之曰《暗香》、《疏影》。

旧时月色,算几番照我,梅边吹笛?唤起玉人,不管清寒与攀摘。何逊而今渐老³,都忘却、春风词笔。但怪得、竹外疏花,香冷入瑶席。

江国⁴。正寂寂。叹寄与路遥,夜雪初积。翠尊易泣,红萼无言耿相忆⁵。长记曾携手处,千树压、西湖寒碧。又片片、吹尽也,几时见得?

【注解】

1辛亥:光宗绍熙二年(1191)。石湖:即范成大,范号石湖居士。 2肄

（yì）习：练习，学习。　3何逊：南朝梁诗人，曾为官扬州法曹，舍内有梅花一株，常吟咏于梅下。后迁洛阳，思梅花，请再往。抵扬州，花方盛开，逊对花彷徨终日。杜甫有诗："东阁观梅动诗兴，还如何逊在扬州。"此处为作者借何逊自比。　4江国：指江邑水乡。　5红萼：此处指梅花。

疏　影

苔枝缀玉[1]，有翠禽小小，枝上同宿。客里相逢，篱角黄昏，无言自倚修竹[2]。昭君不惯胡沙远，但暗忆、江南江北。想佩环、月夜归来[3]，化作此花幽独。

犹记深宫旧事[4]，那人正睡里，飞近蛾绿。莫似春风，不管盈盈，早与安排金屋[5]。还教一片随波去，又却怨、玉龙哀曲[6]。等恁时[7]、重觅幽香，已入小窗横幅。

【注解】

1苔枝：梅花年岁已久后，枝叶间会长出苔藓，其花弥香。　2杜甫有诗："天寒翠袖薄，日暮倚修竹。"　3杜甫曾作咏王昭君诗："画图省识春风面，环佩空归月夜魂。"　4深宫旧事：南朝宋武帝之女寿阳公主卧含章殿下，梅花飘落其额，成五朵花瓣，水洗不掉，后宫女多仿效作梅花妆。　5金屋：用汉武帝金屋藏娇之事，借指惜花。　6玉龙哀曲：指笛奏名曲《梅花落》。玉龙，一种笛子的美称。　7恁时：那时。

翠楼吟

淳熙丙午冬¹，武昌安远楼成，与刘去非诸友落之²，度曲见志。余去武昌十年，故人有泊舟鹦鹉洲者，闻小姬歌此词，问之，颇能道其事；还吴，为余言之，兴怀昔游，且伤今之离索也。

月冷龙沙³，尘清虎落⁴，今年汉酺初赐⁵。新翻胡部曲⁶，听毡幕元戎歌吹。层楼高峙，看槛曲萦红，檐牙飞翠。人姝丽，粉香吹下，夜寒风细。

此地宜有词仙，拥素云黄鹤，与君游戏。玉梯凝望久，但芳草萋萋千里。天涯情味，仗酒祓清愁⁷，花消英气。西山外，晚来还卷，一帘秋霁。

【注解】

1淳熙丙午：宋孝宗淳熙十三年（1186）。时姜夔离汉阳往湖州，经武昌。 2安远楼：指武昌南楼，又名白云楼，位于黄鹤山上。刘去非：一说为当时京西漕刘郎中立义。 3龙沙：《后汉书》中有："坦步葱雪，咫尺龙沙。"后多指塞外沙漠之地。 4虎落：护城的篱笆。 5酺（pú）：欢聚饮酒。汉代有制，禁止民众聚集饮酒，有庆典时例外，称为"赐酺"。据《宋史》称：是年正月，高宗八十寿，犒赐内外诸军共一百六十万缗。故有此说。 6胡部曲：本为西凉乐曲，唐时引进为新声，多种乐器齐奏，声势浩大。 7祓（fú）：消除。

杏花天

丙午之冬，发沔口[1]。丁未正月二日[2]，道金陵，北望淮楚，风日清淑，小舟挂席，容与波上[3]。

绿丝低拂鸳鸯浦，想桃叶，当时唤渡。又将愁眼与春风，待去，倚兰桡，更少驻。

金陵路，莺吟燕舞。算潮水、知人最苦。满汀芳草不成归，日暮，更移舟、向甚处？

【注解】

1丙午：淳熙十三年（1186）。沔口：汉水入江处。2丁未正月：丁未为次年。　3容与：闲暇自得貌。

一萼红

丙午人日，余客长沙别驾之观政堂[1]。堂下曲沼，沼西负古垣，有卢橘幽篁，一径深曲。穿径而南，官梅数十株，如椒如菽，或红破白露，枝影扶疏。着屐苍苔细石间，野兴横生，亟命驾登定王台[2]，乱湘流入麓山[3]；湘云低昂，湘波容与，兴尽悲来，醉吟成调。

古城阴，有官梅几许，红萼未宜簪。池面冰胶，墙腰雪老，云意还又沉沉。翠藤共、闲穿径竹，渐笑语、惊起卧沙禽。野

145

老林泉，故王台榭，呼唤登临。

南去北来何事，荡湘云楚水，目极伤心。朱户粘鸡，金盘簇燕[4]，空叹时序侵寻[5]。记曾共、西楼雅集，想垂柳、还袅万丝金。待得归鞍到时，只怕春深。

【注解】

1丙午：淳熙十三年（1186）。人日：正月初七。人日亦称"人胜节"、"人庆节"等。传说女娲初创世，在造出了鸡狗猪牛马等动物后，于第七天造出了人，所以后世将这一天定为"人日"。长沙别驾：指潭州通判萧德藻。别驾为通判的别称。　2命驾：动身前往。定王台：在长沙之东，汉长沙定王所筑之台。　3麓山：即岳麓山，在湘江西岸。　4粘鸡：人日节习俗。《岁时记》中载："人日贴画鸡于户，悬苇索其上，插符于旁，百鬼畏之。"簇燕：亦为习俗。据《武林旧事》载，立春供春盘，有"翠缕红丝，金鸡玉燕，备极精巧"。　5侵寻：渐渐消失。

霓裳中序第一

丙午岁，留长沙，登祝融[1]，因得其祠神之曲，曰《黄帝盐》《苏合香》[2]。又于乐工古书中得商调《霓裳曲》十八阕[3]，皆虚谱无辞。按沈氏《乐律》[4]，《霓裳》道调，此乃商调。乐天诗云："散序六阕"[5]，此特两阕，未知孰是？然音节闲雅，不类今曲；予不暇尽作，作《中序》一阕传于世[6]。余方羁游，感此古音，不自知其辞之怨抑也。

亭皋正望极，乱落江莲归未得。多病却无气力，况纨扇渐疏，罗衣初索。流光过隙，叹杏梁、双燕如客。人何在？一帘淡月，仿佛照颜色。

幽寂。乱蛩吟壁，动庾信、清愁似织。沉思年少浪迹，笛里关山，柳下坊陌。坠红无信息[7]，漫暗水、涓涓溜碧。飘零久、而今何意，醉卧酒垆侧[8]。

【注解】

1丙午：淳熙十三年(1186)。祝融：衡山七十二峰之最高峰。 2《黄帝盐》：古乐府中曲名。盐，通"艳"，唐代枢鼓曲。《苏合香》：唐乐《大曲》中之一，为软舞曲。 3《霓裳曲》：即《霓裳羽衣曲》。 4沈氏乐律：指沈括的《梦溪笔谈》卷五《乐律》。 5"乐天诗云"一句：白居易有《和元微之霓裳羽衣歌》："散序六奏未动衣，阳台宿云慵不飞。" 6《中序》：《霓裳》全曲分为三大段：散序，六遍；中序，十八遍；破，十二遍。此首为按曲中第二"中序"第一阕来填词的。 7坠红：落花。 8酒垆(lú)：酒店放酒坛的台子。

章良能

章良能（？—1214），字达之，丽水（今属浙江）人。淳熙五年（1178）进士，官至同知枢密院事、参知政事。有《嘉林集》，存词一首。

小重山

柳暗花明春事深，小阑红芍药、已抽簪。雨余风软碎鸣禽[1]，迟迟日[2]、犹带一分阴。

往事莫沉吟，身闲时序好、且登临。旧游无处不堪寻，无寻处、惟有少年心。

【注解】

1碎鸣禽：形容鸟鸣声繁杂纷纭。　2迟迟日：意为春光仿佛迟缓行进。《诗经》中有："春日迟迟，采蘩祁祁。"

刘　过

刘过（1154—1206），字改之，号龙洲道人，吉州太和（今江西泰和县）人。胸怀大志，却屡试不第，始终不忘复国之计。漫游江湖之间，以布衣身份结交名士。曾与陆游、陈亮、辛弃疾等人交好，诗词皆能，词风豪放不羁，悲壮凛然。偶有俊秀清丽之作，有词集《龙洲词》。

唐多令

安远楼小集[1]，侑觞歌板之姬[2]，黄其姓者，乞词于龙洲道人，为赋此。同柳阜之、刘去非、石民瞻、周嘉仲、陈孟参、孟容，时八月五日也。

芦叶满汀洲，寒沙带浅流。二十年重过南楼。柳下系船犹未稳，能几日，又中秋。

黄鹤断矶头[3]，故人曾到否？旧江山浑是新愁。欲买桂花同载酒，终不似，少年游。

【注解】

1安远楼：即武昌南楼，位于黄鹤山上。　2侑（yòu）觞：劝酒。　3黄
鹤断矶头：指黄鹤矶，位于武昌西部，黄鹤山西北，上有黄鹤楼。

严　仁

严仁（生卒年不详），字次山，号樵溪，邵武（今属福建）人。
与严羽、严参同称"邵武三严"。有《清江欸乃集》，今已不传。
有词三十首存《花庵词选》中，其词多写闺情帷怨。黄升评价说：
"次山词极能道闺闱之趣。"

木兰花

春风只在园西畔，荠菜花繁胡蝶乱。冰池晴绿照还空[1]，
香径落红吹已断。

意长翻恨游丝短，尽日相思罗带缓。宝奁如月不欺人[2]，
明日归来君试看。

【注解】

1晴绿：此处指池水。　2宝奁（lián）：华贵的镜匣。

俞国宝

俞国宝（生卒年不详），临川（今江西抚州）人。据周密《武林旧事》中载，淳熙年间（1174—1189），宋高宗偶过西湖断桥旁小酒肆，见屏风上题有《风入松》一词，称赏久之，以为"甚好"，问旁人谁所作，答曰太学生俞国宝醉后所作。高宗嫌末句太过儒酸，便将末句"明日再携残酒"改为"明日重扶残醉"，俞国宝也因此词而授官。

风入松

一春长费买花钱[1]。日日醉湖边。玉骢惯识西湖路[2]，骄嘶过、沽酒楼前。红杏香中箫鼓，绿杨影里秋千。

暖风十里丽人天，花压鬓云偏。画船载取春归去，余情付、湖水湖烟。明日重扶残醉，来寻陌上花钿[3]。

【注解】

1 "一春"句：一个春天总是要在喝花酒上花费不少钱。　2 玉骢：青白杂色的马儿。　3 花钿：古时妇女脸颊或发上所贴的装饰。

张 镃

张镃（zī，1153—约1211），字功甫，一字时可，号约斋。先世成纪（今甘肃天水）人，寓居临安（现浙江杭州），卜居南湖。张镃为宋南渡名将张俊曾孙，又是宋末著名词家张炎的曾祖，是张氏家族由武转文中的重要一环。因出身显赫，家境优渥，张镃少时纵情游乐，结交天下名流甚多。且诗词书画皆能，曾学诗于陆游，与辛弃疾、姜夔等名家多有交游唱和。今存词八十六首，多为宴游酬唱之作。其词风华丽浮艳，清丽和婉，语言明快洗炼，尤以写景咏物为长。有《南湖诗余》一卷。

满庭芳 促织儿[1]

月洗高梧，露汿幽草[2]，宝钗楼外秋深[3]。土花沿翠[4]，萤火坠墙阴。静听寒声断续，微韵转、凄咽悲沉。争求侣、殷勤劝织，促破晓机心。

儿时曾记得，呼灯灌穴，敛步随音。任满身花影，独自追寻。携向华堂戏斗[5]，亭台小，笼巧妆金。今休说，从渠床下，凉夜伴孤吟。

【注解】

1 促织儿：即蟋蟀。此词为与姜夔在张达可家会饮所作。 2 汿(tuán)：形容露水很多的样子。《诗经·郑风》中有："野有蔓草，零露汿兮。" 3 宝钗楼：咸阳名楼，此处指临安张达可家楼台。 4 土花：指青苔。 5 戏斗：即斗蟋蟀。

宴山亭

幽梦初回，重阴未开，晓色催成疏雨。竹槛气寒，蕙畹声摇[1]，新绿暗通南浦。未有人行，才半启、回廊朱户。无绪，空望

151

极霓旌²，锦书难据。

　　苔径追忆曾游，念谁伴，秋千彩绳芳柱。犀奁黛卷³，凤枕云孤，应也几番凝伫。怎得伊来，花雾绕、小堂深处。留住。直到老、不教归去。

【注解】　1 蕙畹（wǎn）声摇：畹，古代土地面积单位，一说十二亩，一说三十亩。此句意为种植着兰蕙的园圃在风雨中摇晃而簌簌发响。　2 霓旌：像旗子一般的云霓。《高唐赋》："霓为旌，翠为盖。"　3 犀奁（lián）：犀角装饰的匣子，此处指化妆匣。黛卷：粉黛收了起来。

史达祖

　　史达祖（生卒年不详），字邦卿，号梅溪，汴（今河南开封）人。工于文，嘉泰年间为权相韩侂胄亲信的堂吏，韩的"奉行文字、拟帖拟旨，俱出其手"。韩北伐失败后被杀，史也受黥刑，后被发配充军，不知所终。他曾师从张镃学词，词家常将他与周邦彦、姜夔、吴文英并提。尤善咏物，描写细致，奇秀清逸，清新闲婉，颇受清代词家推崇。有《梅溪词》，存词一百一十余首。

绮罗香 咏春雨

　　做冷欺花，将烟困柳，千里偷催春暮。尽日冥迷，愁里欲飞还住。惊粉重、蝶宿西园，喜泥润、燕归南浦。最妨他、佳约风流，钿车不到杜陵路¹。

　　沉沉江上望极，还被春潮晚急，难寻官渡²。隐约遥峰，和泪谢娘眉妩[3]。临断岸、新绿生时，是落红、带愁流处。记当日、门掩梨花，剪灯深夜语。

【注解】

1杜陵：在长安城南郊，为唐代郊游胜地。　2官渡：官府置船以渡行人称为官渡。　3谢娘：唐时对女子的通称。

双双燕咏燕

过春社了[1]，度帘幕中间，去年尘冷。差池欲住[2]，试入旧巢相并。还相雕梁藻井[3]，又软语商量不定。飘然快拂花梢，翠尾分开红影。

芳径。芹泥雨润。爱贴地争飞，竞夸轻俊。红楼归晚，看足柳昏花暝。应自栖香正稳，便忘了天涯芳信[4]。愁损翠黛双蛾，日日画阑独凭。

【注解】

1春社：有春秋社日，为农事祭祀之日。春社祈求谷物丰收，秋社谢神以还愿。春社举行日期常在春分左右，时有燕归来。　2差（cī）池：指燕子飞行时羽毛舒展开羽翼的样子。《诗经·邶风》中有："燕燕于飞，差池其羽。"　3相（xiàng）：仔细看。藻井：装饰成格子形的天花板。　4芳信：古时有燕子为思妇传书之说。

东风第一枝 春雪

巧沁兰心，偷粘草甲[1]，东风欲障新暖。谩凝碧瓦难留，信知暮寒犹浅。行天入镜[2]，做弄出、轻松纤软。料故园、不卷重帘，误了乍来双燕。

青未了、柳回白眼，红欲断、杏开素面。旧游忆着山阴[3]，后盟遂妨上苑[4]。寒炉重熨，便放慢、春衫针线。怕凤靴、挑菜归来[5]，万一灞桥相见[6]。

【注解】

1"巧沁"一句：春雪巧妙地沁入兰花花心，偷偷粘附于草叶之上。 2行天入镜：化用韩愈《春雪》诗："入镜鸾窥沼，行天马渡桥。" 3"旧游"句：此处用典。晋代王徽之雪夜泛舟山阴剡溪访戴逵，至门而返，人问其故，曰："乘兴而来，兴尽而去，何必见。" 4"后盟"句：用典。指司马相如赴梁王兔园之宴，因大雪而迟到之事。 5凤靴：古代女子之鞋常绣凤以作装饰。挑菜：唐代风俗，二月初二日曲江拾菜，谓之挑菜节。宋代仍有此习俗。 6灞（bà）桥：在今陕西西安市东。

喜迁莺

月波疑滴，望玉壶天近[1]，了无尘隔。翠眼圈花，冰丝织练，黄道宝光相值[2]。自怜诗酒瘦，难应接许多春色。最无赖，是随香趁烛，曾伴狂客。

踪迹，谩记忆，老了杜郎[3]，忍听东风笛。柳院灯疏，梅厅雪在，谁与细倾春碧[4]？旧情拘未定，犹自学、当年游历。

怕万一，误玉人、夜寒帘隙。

1玉壶：比喻明月。　2黄道：沈括《梦溪笔谈》："日之所由，谓之黄道。"古人认为太阳绕地球运行，将其轨迹称为"黄道"。相值：相对。值，一作"直。"　3杜郎：指杜牧。　4春碧：指美酒。

三姝媚

烟光摇缥瓦[1]，望晴檐多风，柳花如洒。锦瑟横床，想泪痕尘影，凤弦常下。倦出犀帷[2]，频梦见、王孙轿马[3]。讳道相思，偷理绡裙，自惊腰衩[4]。

惆怅南楼遥夜，记翠箔张灯，枕肩歌罢。又入铜驼[5]，遍旧家门巷，首询声价[6]，可惜东风，将恨与闲花俱谢。记取崔徽模样[7]，归来暗写。

【注解】

1缥（piǎo）瓦：淡青色的琉璃瓦。　2犀帷：以犀牛角装饰的床帏。　3王孙轿马：富家子弟的轿子马车。此处指代盼其归来之人。　4腰衩：衣之下端开衩者。此处为腰带。　5铜驼：古时洛阳街道名，此处借指临安街道。　6首询声价：指访寻所思之人。周邦彦《瑞龙吟》中有："前度刘郎重到，访邻寻里，同时歌舞。唯有旧家秋娘，声价如故。"　7崔徽：为唐时著名歌妓。崔徽与裴敬中相好，敬中离去，徽极怨抑，临死留下肖像托人捎去，云："徽且为郎死矣！"此处借指相思之女子。

秋 霁

江水苍苍，望倦柳愁荷，共感秋色。废阁先凉，古帘空暮，雁程最嫌风力。故园信息，爱渠入眼南山碧[1]。念上国，谁是脍鲈江汉未归客[2]。

还又岁晚、瘦骨临风，夜闻秋声，吹动岑寂。露蛩悲、青灯冷屋，翻书愁上鬓毛白。年少俊游浑断得[3]，但可怜处，无奈苒苒魂惊，采香南浦，剪梅烟驿。

【注解】

1南山：即南屏山。　2脍（kuài）鲈：指家乡的饭菜。用晋张翰思乡之典。　3浑：全然。断：断绝。

夜合花

柳锁莺魂，花翻蝶梦，自知愁染潘郎[1]。轻衫未揽，犹将泪点偷藏。念前事，怯流光，早春窥、酥雨池塘。向消凝里[2]，梅开半面，情满徐妆[3]。

风丝一寸柔肠，曾在歌边惹恨，烛底萦香。芳机瑞锦，如何未织鸳鸯。人扶醉，月依墙，是当初、谁敢疏狂！把闲言语，花房夜久，各自思量。

【注解】

1潘郎：用潘云因悲而染白发之事。　2消凝：销魂凝神。　3徐妆：化半面妆。典出《南史·梁元帝徐妃传》："妃以帝眇（瞎）一目，每知帝将至，必为半面妆以俟。帝见则大怒而去。"此处比喻梅花半开。

玉蝴蝶

晚雨未摧宫树，可怜闲叶，犹抱凉蝉。短景归秋[1]，吟思又接愁边。漏初长、梦魂难禁，人渐老、风月俱寒。想幽欢土花庭甃[2]，虫网阑干。

无端啼蛄搅夜[3]，恨随团扇[4]，苦近秋莲[5]。一笛当楼，谢娘悬泪立风前。故园晚、强留诗酒，新雁远、不致寒暄。隔苍烟、楚香罗袖，谁伴婵娟。

【注解】

1 短景：日影渐短。指白天短了。　2 甃(zhòu)：以砖瓦砌的井壁。　3 蛄：即蝼蛄，一种虫，穴居土中而鸣。　4 恨随团扇：班婕妤曾作《怨诗行序》："婕妤失宠，求供养太后于长信宫，乃作怨诗以自伤，托辞于纨扇云。"　5 秋莲：莲心味苦，常用来比喻男女相思之苦。

八　归

秋江带雨，寒沙萦水，人瞰画阁愁独[1]。烟蓑散响惊诗思，还被乱鸥飞去，秀句难续。冷眼尽归图画上，认隔岸、微茫云屋。想半属、渔市樵村，欲暮竞然竹[2]。

须信风流未老，凭持尊酒³，慰此凄凉心目。一鞭南陌，几篙官渡，赖有歌眉舒绿⁴。只匆匆眺远，早觉闲愁挂乔木，应难奈故人天际，望彻淮山，相思无雁足⁵。

【注解】

1 瞰（kàn）：俯视。　2 然竹：然，同燃。柳宗元有诗："渔翁夜傍西岩宿，晓汲清湘燃楚竹。"　3 凭持尊酒：一作"凭谁持酒"。　4 舒绿：古时以黛绿画眉，此处即指眉。　5 无雁足：指雁足传书之说，无雁足即没有书信。

刘克庄

刘克庄（1187—1269），字潜夫，自号后村居士，莆田（今属福建）人。宁宗嘉定二年（1209）补将仕郎，因作《落梅》诗得罪权臣而废黜十年。后因"文名久著，史学尤精"，而为宋理宗起用，特赐同进士出身，仕途几经沉浮，终以龙图阁学士致仕。他是辛派词人代表，被认为是"三刘"（刘克庄、刘过、刘辰翁）中成就最高者。其词作多抒发爱国豪情与雄心壮志，不屑填词于酒醉红香，风格奔放豪迈，沉郁苍凉。时以散文句式入词，不受格律的限制，极具艺术感染力。有《后村别调》《后村长短句》。存词一百三十余首。

生查子 元夕戏陈敬叟¹

繁灯夺霁华²，戏鼓侵明发³。物色旧时同，情味中年别。浅画镜中眉，深拜楼中月。人散市声收，渐入愁时节。

贺新郎 <small>端午</small>

深院榴花吐。画帘开、绤衣纨扇[1]，午风清暑。儿女纷纷夸结束，新样钗符艾虎[2]。早已有、游人观渡[3]。老大逢场慵作戏[4]，任陌头、年少争旗鼓。溪雨急，浪花舞。

灵均标致高如许[5]，忆生平、既纫兰佩[6]，更怀椒醑[7]。谁信骚魂千载后，波底垂涎角黍[8]。又说是、蛟馋龙怒。把似而今醒到了[9]，料当年、醉死差无苦[10]。聊一笑，吊千古。

【注解】

1绤（shū）衣：粗麻衣。　2艾虎：古习俗，端午节采艾草制成虎形饰物，佩戴以辟邪气。　3观渡：指观看端午划龙舟之俗。《荆楚岁时记》中载："五月五日竞渡，俗为屈原投汨罗日，人伤其死，故命舟楫拯之。"　4逢场作戏：《传灯录》中载："（邓隐峰）云：'竿木随身，逢场作戏。'"后多指碰到机会，便凑凑热闹之意。　5灵均标致：灵均，即屈原；标致，风度。　6纫兰佩：缝缀秋兰，佩带于身，《离骚》中有："纫秋兰以为佩。"7椒醑（xǔ）：用椒浸制的酒。椒，香料；醑，美酒。《离骚》中有："怀椒糈而要之"。　8角黍：即粽子。端午节习俗，为祭屈原，作粽投江，以饲蛟龙，使屈原不为蛟龙所食。　9把似：假如。　10差：尚且。

贺新郎 九日[1]

湛湛长空黑[2]，更那堪、斜风细雨，乱愁如织。老眼平生空四海，赖有高楼百尺。看浩荡、千崖秋色。白发书生神州泪，尽凄凉、不向牛山滴[3]。追往事，去无迹。

少年自负凌云笔[4]。到而今、春华落尽[5]，满怀萧瑟。常恨世人新意少，爱说南朝狂客[6]。把破帽、年年拈出。若对黄花孤负酒，怕黄花、也笑人岑寂。鸿去北，日西匿。

【注解】

1 九日：重阳节。　2 湛湛：很深的样子。　3 牛山：位于今山东临淄。《晏子春秋》中有载："齐景公游于牛山，北临其国城而流涕。"　4 凌云笔：壮志凌云之笔墨。　5 春华落尽：比喻豪情不再。　6 南朝狂客：指晋代孟嘉。曾于重阳节登龙山，风吹帽落，嘉浑然不觉，谈笑自如。

木兰花 戏呈林节推乡兄[1]

年年跃马长安市。客舍似家家似寄。青钱换酒日无何，红烛呼卢宵不寐[2]。

易挑锦妇机中字[3]，难得玉人心下事[4]。男儿西北有神州，莫滴水西桥畔泪[5]。

【注解】

1 林节推：作者同乡友人，任节推官。为唐朝始置，节度使、观察使、团练使、防御使、采访处置使下皆设一员，位次于判官、掌书记，掌推勾狱讼之事。　2呼卢：赌博，掷骰子。　3机中字：此处有典。《丽情集》中有载："前秦窦滔恨其妻苏氏，及镇襄阳，与苏绝音问，苏因织锦为回文诗寄滔，滔览锦字，感其妙绝，乃具车迎苏。"锦妇，织锦的女子，指妻室。此句意为，从妻子那里得到真情是容易的。　4玉人：指歌女，妓女。　5水西桥：当时歌楼妓馆聚集之地。

卢祖皋

卢祖皋（生卒年不详），字申之，又字次夔，号蒲江，永嘉（今浙江温州）人。庆元五年（1199）年进士，累官至将作少监、权直学士院。其词多为小令，纤秀淡雅，有秦观之风。有《蒲江词》。

江城子

画楼帘幕卷新晴。掩银屏，晓寒轻。坠粉飘香，日日唤愁生。暗数十年湖上路，能几度、着娉婷[1]。

年华空自感飘零。拥春酲[2]，对谁醒？天阔云闲，无处觅箫声。载酒买花年少事，浑不似[3]，旧心情。

【注解】

1娉婷：形容女子婀娜美好之姿。此处形容歌女。　2酲（chéng）：酒醉后神志不清。　3浑不似：全然不似。

宴清都

春讯飞琼管[1]。风日薄，度墙啼鸟声乱。江城次第[2]，笙歌翠合，绮罗香暖。溶溶涧渌冰泮[3]。醉梦里，年华暗换。料黛眉、重锁隋堤，芳心还动梁苑[4]。

新来雁阔云音，鸾分鉴影[5]，无计重见。啼春细雨，笼愁淡月，恁时庭院[6]。离肠未语先断。算犹有、凭高望眼。更那堪、芳草连天，飞梅弄晚。

【注解】

1 "春讯"句：春天的讯息从灰琯中飞出。琼管，此处指灰琯，为古时候验节气之器具。　2 次第：光景。　3 泮（pàn）：冰融化消解。　4 隋堤：指通济渠，为隋炀帝所开，自长安通至江都，堤上多植杨柳。梁苑：即梁园，为汉梁孝王所建。此泛指华美园林。　5 鸾分鉴影：用徐德言破镜重圆之典。　6 恁时：此时。

潘 牥

潘牥（fāng，1205—1246），字庭坚，号紫岩，福州富沙（今属福建）人。理宗端平二年（1235）进士。曾中探花，风姿秀美，性格豪放不羁。有《紫岩集》，赵万里辑《紫岩词》一卷。

南乡子 题南剑州妓馆[1]

生怕倚阑干，阁下溪声阁外山。惟有旧时山共水，依然。暮雨朝云去不还。

应是蹑飞鸾[2]。月下时时整佩环。月又渐低霜又下，更阑。折得梅花独自看。

【注解】

1 南剑州：今福建南平县。　2 蹑飞鸾：以脚踏飞鸾的仙女比喻歌妓。

陆　叡

陆叡（ruì，生卒年不详），字景思，号云西，会稽（今浙江绍兴）人。北宋学者陆佃五世孙。绍定五年（1232）进士。淳祐（1241—1252）曾任沿江制置使参议，后累官至礼部员外郎，崇政殿尚书。存词三首。

瑞鹤仙

湿云粘雁影，望征路愁迷，离绪难整。千金买光景。但疏钟催晓，乱鸦啼暝。花惊暗省[1]，许多情，相逢梦境。便行云、都不归来，也合寄将音信。

孤迥。盟鸾心在，跨鹤程高，后期无准[2]。情丝待剪，翻惹得，旧时恨。怕天教何处，参差双燕，还染残朱剩粉。对菱花[3]、与说相思，看谁瘦损？

【注解】

1 花惊（cóng）：指芳心。惊，情绪，心情。　2"盟鸾"三句：与君盟誓之心尚在，人却驾鹤而去，不知何时才能再见。盟鸾，用鸾镜之典故，意为与爱人立盟约。　3 菱花：菱花镜。

吴文英

吴文英（约1200—约1260），字君特，号梦窗，晚年号觉翁，四明（今浙江宁波）人。他毕生未入仕途，以布衣身份出入侯门，交游显贵，游幕终身，于苏、杭、越三地居留最久。北上到过淮安、镇江，苏杭道中又历经吴江、无锡惠山，及茹雪二溪。游踪所至，每有题咏。晚年一度客居越州，先后为浙东安抚使吴潜及嗣荣王赵与芮门客。其词师法周邦彦，极讲音律、字字雕琢，意境幽远，风格绵丽，又多自创乐曲，对宋词影响很大。时有人称："求词于吾宋，前有清真（周邦彦），后有梦窗"，疆村先生更是将其尊为宋词之首。赞者虽有主观偏爱，但其地位之重要可见一斑，甚至有"词中李商隐"之盛誉。不过，也有人批评他重于形式而轻内涵，至今仍争论不绝。有《梦窗甲乙丙丁稿》四卷，存词三百四十余首。

渡江云 西湖清明

羞红颦浅恨 [1]，晚风未落，片绣点重茵 [2]。旧堤分燕尾 [3]，桂棹轻鸥，宝勒倚残云 [4]。千丝怨碧 [5]，渐路入、仙坞迷津。肠漫回，隔花时见、背面楚腰身 [6]。

逡巡。题门惆怅，堕履牵萦 [7]。数幽期难准，还始觉留情缘眼，宽带因春 [8]。明朝事与孤烟冷，做满湖风雨愁人。山黛暝，尘波澹绿无痕 [9]。

【注解】

1颦（pín）：皱眉。此句意为：花朵就像微微恼羞脸红的女子。　2重茵：厚厚的席垫子。此处比喻芳草地。　3旧堤：指西湖的苏堤与白堤，两堤斜向交叉，形如燕尾。　4桂棹：船桨美称，此处借指船。宝勒：马络头的美称，此处泛指骏马。　5千丝：即柳丝。　6楚腰：细腰。楚有谚语："楚王好细腰，宫中多饿死。"故有此说。　7逡巡（qūn xún）：因有顾忌而徘徊不前。题门：指唐崔护题诗于门之典，又有晋吕安题嵇康门之典。此处为无法遇见之意。堕履：用《史记》中张良遇黄石公之典故，此处作受眷顾之意。　8宽带因春：因为相思而消瘦。　9澹（dàn）：水波。

夜合花 自鹤江入京泊葑门有感[1]

柳暝河桥，莺清台苑，短策频惹春香[2]。当时夜泊，温柔便入深乡[3]。词韵窄，酒杯长，剪蜡花、壶箭催忙[4]。共追游处，凌波翠陌[5]，连棹横塘。

十年一梦凄凉，似西湖燕去，吴馆巢荒。重来万感，依前唤酒银罂[6]。溪雨急，岸花狂，趁残鸦飞过苍茫。故人楼上，凭谁指与，芳草斜阳？

【注解】

1鹤江：即白鹤溪，在苏州西部。葑（fēng）门：一作"封门"，春秋时为吴国都城城门，在今苏州东南。　2台苑：指姑苏台的苑囿。短策：即马鞭。　3温柔便入深乡：汉成帝宠幸赵飞燕的妹妹赵合德，因其肌体极为柔软，称之为"温柔乡"，后世多以此比喻女色。　4壶箭：即漏箭，古代计时器。　5凌波：形容女子步履。出自曹植《洛神赋》"凌波微步，罗袜生尘"。6罂（yīng）：大腹小口的盛酒器。

霜叶飞 重九

断烟离绪，关心事，斜阳红隐霜树。半壶秋水荐黄花，香
喷西风雨[1]。纵玉勒、轻飞迅羽，凄凉谁吊荒台古[2]。记醉踏
南屏[3]，彩扇咽寒蝉，倦梦不知蛮素[4]。

聊对旧节传杯，尘笺蠹管[5]，断阕经岁慵赋。小蟾斜影转
东篱[6]，夜冷残蛩语。早白发、缘愁万缕，惊飙从卷乌纱去[7]。
漫细将、茱萸看[8]，但约明年，翠微高处。

【注解】

1 荐：进献，祭献。喷（xùn）：喷。 2 荒台：指宋武帝重阳日所登临
的戏马台，台在彭城，曾为项羽阅兵之地。 3 南屏：南屏山，杭州西湖名
山。 4 蛮素：白居易有侍女小蛮和樊素，作诗云："樱桃樊素口，杨柳小蛮腰。"
此处代指歌姬。 5 蠹（dù）管：被虫蛀了的笔管。形容久不动笔。 6 小蟾：
月亮。 7 惊飙：疾风。乌纱：古官帽名。 8 茱萸：植物名，有浓香。古代
习俗九九重阳佩茱萸囊，登高饮菊花酒，以辟邪去恶。

宴清都 连理海棠

绣幄鸳鸯柱[1]，红情密、腻云低护秦树[2]。芳根兼倚，花
梢钿合[3]，锦屏人妒。东风睡足交枝[4]，正梦枕瑶钗燕股[5]。障
滟蜡、满照欢丛，嫠蟾冷落羞度[6]。

人间万感幽单，华清惯浴，春盎风露[7]。连鬟并暖，同心共结，
向承恩处[8]。凭谁为歌《长恨》[9]？暗殿锁、秋灯夜语。叙旧期、
不负春盟，红朝翠暮。

1绣幄：本意为刺绣做的帷幄，此处比喻海棠花叶。鸳鸯柱：比喻海棠树的枝干。　2红情密：指花朵密集锦簇。秦树：秦中有双株海棠，高数十丈。此处代指海棠树。　3钿合：钿盒，用金银等装饰的盒子，此处形容海棠花之闪耀。　4睡足：睡够了。典出《明皇杂录》：玄宗登亭召杨贵妃，贵妃酒醉未醒，由人挽扶而至，玄宗笑曰："岂是妃子醉耶，海棠睡未足也。"交枝：使枝叶相交。　5燕股：形容发钗有两股形如燕尾。　6障滟（yàn）蜡：用手护住蜡烛防风。滟蜡：形容蜡泪很多。嫠（lí）蟾：指月中孤独的嫦娥。嫠，寡妇。蟾，蟾蜍。传说嫦娥托月，化身蟾蜍。　7华清惯浴：指杨贵妃尝浴于华清池。盎：盎然。　8连鬟：女子所梳双鬟，有"同心结"之称。此句指唐玄宗宠幸杨贵妃之事。　9《长恨》：白居易所作《长恨歌》。

齐天乐

烟波桃叶西陵路¹，十年断魂潮尾。古柳重攀，轻鸥聚别，陈迹危亭独倚。凉飔乍起²，渺烟碛飞帆³，暮山横翠。但有江花，共临秋镜照憔悴⁴。

华堂烛暗送客，眼波回盼处，芳艳流水。素骨凝冰，柔葱蘸雪⁵，犹忆分瓜深意⁶。清尊未洗，梦不湿行云，漫沾残泪。可惜秋宵，乱蛩疏雨里⁷。

【注解】

1桃叶西陵：王献之有诗《桃叶歌》："桃叶复桃叶，渡江不用楫。但渡无所苦，我自迎接汝。"古词："何处结同心，西陵松柏下。"桃叶渡、西陵路，皆指曾经与情人分别之处。2飔（sī）：微风，凉风。　3碛（qì）：水中之沙洲。　4秋镜：指平滑如镜的秋水。　5素骨凝冰：形容女子冰肌玉骨。柔葱蘸雪：形容女子手指纤细如葱，洁白如雪。　6分瓜：也叫"破瓜"。古字"瓜"拆分开来，像两个"八"字，常被用来代指女子"二八年华"，又有俗称女子破身为"破瓜"之说。　7蛬（qióng）：蟋蟀。

花　犯 郭希道送水仙索赋[1]

小娉婷，清铅素靥，蜂黄暗偷晕[2]。翠翘敧鬓[3]。昨夜冷中庭，月下相认，睡浓更苦凄风紧。惊回心未稳，送晓色、一壶葱茜[4]，才知花梦准。

湘娥化作此幽芳[5]，凌波路，古岸云沙遗恨。临砌影、寒香乱、冻梅藏韵。熏炉畔、旋移傍枕，还又见、玉人垂绀鬒[6]。料唤赏、清华池馆，台杯须满引[7]。

【注解】

1郭希道：作者友人，词中多有提及，生平不详。　2娉（pīng）婷：形容女子婀娜美好的样子。清铅素靥（yè）：形容女子面颊雪白，不施粉黛；靥，脸颊上的酒窝。蜂黄：古时妇女化妆用的一种黄色颜料，此处形容水仙的黄蕊。此词为咏水仙，因此这三句皆是以女子比喻水仙。　3翠翘敧鬓：翠绿的头饰斜插在鬓发之上，此处形容水仙的绿叶。　4葱茜（qiàn）：青翠茂盛的样子。　5湘娥：相传舜之二妃娥皇、女英死于江湘之间，人称湘娥。　6绀（gàn）鬒（zhěn）：绀，天青色；鬒，发黑而密。鬒，一作"鬓"。　7清华池馆：郭希道的寓所。台杯：有托的杯子。

浣溪沙

门隔花深旧梦游[1]，夕阳无语燕归愁，玉纤香动小帘钩[2]。
落絮无声春堕泪，行云有影月含羞，东风临夜冷于秋。

【注解】

1旧梦游：一作"梦旧游"。 2玉纤：形容女子之手。

浣溪沙

波面铜花冷不收[1]，玉人垂钓理纤钩[2]，月明池阁夜来秋。
江燕话归成晓别，水花红减似春休，西风梧井叶先愁[3]。

【注解】

1铜花：指菱花铜镜，此处比喻水波粼粼如镜。 2纤钩：月亮之影，黄
庭坚《浣溪沙》有："惊鱼错认月沉钩。" 3梧井：井边的梧桐。

点绛唇 试灯夜初晴[1]

卷尽愁云，素娥临夜新梳洗[2]。暗尘不起，酥润凌波地[3]。
辇路重来[4]，仿佛灯前事。情如水，小楼熏被，春梦笙歌里。

【注解】

1试灯夜：元宵节习俗，正月十三日预赏新灯，为试灯日。 2素娥：嫦娥的另一种称谓，比喻月亮。 3酥润：指街道被小雨温柔缓慢地润湿。韩愈有诗句："天街小雨润如酥。" 4辇（niǎn）路：帝王车驾经行之路。辇，二人所拉之车，专指帝王所乘车舆，后亦泛指车辆。

祝英台近 春日客龟溪游废园 [1]

采幽香，巡古苑，竹冷翠微路。斗草溪根 [2]，沙印小莲步。自怜两鬓清霜，一年寒食，又身在、云山深处。

昼闲度，因甚天也悭春 [3]，轻阴便成雨？绿暗长亭，归梦趁风絮。有情花影阑干，莺声门径，解留我、霎时凝伫。

【注解】

1龟溪：水名，在今浙江德清县内。《德清县志》有载："龟溪古名孔愉泽，即余不溪之上流。昔孔愉见渔者得白龟于溪上，买而放之中流，龟左顾数四而没。" 2斗草：古代民间的一种游戏。 3天也悭（qiān）春：老天也吝惜春光。悭，吝色，小气。

祝英台近 除夜立春

剪红情，裁绿意，花信上钗股 [1]。残日东风，不放岁华去。有人添烛西窗 [2]，不眠侵晓，笑声转新年莺语 [3]。

旧尊俎⁴，玉纤曾擘黄柑，柔香系幽素⁵。归梦湖边，还迷镜中路⁶。可怜千点吴霜⁷，寒消不尽，又相对落梅如雨。

【注解】

1"剪红情"二句，指立春日习俗，剪彩纸为红花绿叶，以迎春。"花信"一句亦为古时习俗：《岁时风土记》中载："立春之日，士大夫之家剪裁为小幡，或悬于家人头上，或缀于花枝之下。"意为"把春意送上钗头"。 2添烛西窗：李商隐诗《夜雨寄北》中有："何当共剪西窗烛，却话巴山夜雨时。" 3新年莺语：杜甫诗《伤春》中有："莺人新年语。" 4尊俎：原意为酒杯和砧板，此处代指宴席。 5幽素：心中的幽情情愫。素，同"愫"。 6镜中路：形容湖水如镜。 7吴霜：比喻白发。李贺有诗《还自会稽歌》："吴霜点归鬓，身与塘蒲晚。"

澡兰香 淮安重午¹

盘丝系腕，巧篆垂簪²，玉隐绀纱睡觉³。银瓶露井，彩箑云窗⁴，往事少年依约。为当时曾写榴裙⁵，伤心红绡褪萼⁶。黍梦光阴，渐老汀洲烟蒻⁷。

莫唱江南古调，怨抑难招，楚江沉魄⁸。熏风燕乳，暗雨槐黄，午镜澡兰帘幕⁹。念秦楼¹⁰、也拟人归，应剪菖蒲自酌¹¹。但怅望一缕新蟾，随人天角。

【注解】

1重五：阴历五月初五，端午节。 2盘丝系腕：民俗，端午节以五色丝系腕臂以驱邪。巧篆垂簪：亦为民俗，书写符咒装饰发簪，以避兵气、灾

171

祸。　3玉隐绀纱睡觉（jué）：美人隐在天青色纱帐中刚刚睡醒。　4银瓶：汲水器具。彩箑（shà）：方言，指彩扇。云窗：饰有云纹的窗子。　5写榴裙：此处用典。《宋书》中载：晋羊欣穿着新绢裙午睡，王献之来拜访，不醒，遂在裙上书写数幅而去。　6萼（è）：花萼。　7黍梦：用黄粱梦典故。烟蒻（ruò）：柔弱的蒲草。8楚江沉魄：指屈原自沉。　9午镜澡兰：午镜，民俗，端午节当日室中悬挂镜子以驱鬼辟邪。澡兰，民俗，端午日以沐浴时浸兰花以驱邪。唐宋时端午节又称浴兰节。　10秦楼：语出《陌上桑》："日出东南隅，照我秦氏楼。"此后泛指女子寓所。　11菖蒲：端午以菖蒲一寸九节者泛酒，以辟瘟气。

风入松

听风听雨过清明，愁草瘗花铭[1]。楼前绿暗分携路，一丝柳、一寸柔情。料峭春寒中酒[2]，交加晓梦啼莺。

西园日日扫林亭，依旧赏新晴。黄蜂频扑秋千索，有当时纤手香凝。惆怅双鸳不到[3]，幽阶一夜苔生。

【注解】

1意为因愁绪而不愿去为落花写诗词。瘗（yì）：埋葬之意。传说庾信曾作《瘗花铭》，今不传。　2中（zhòng）酒：醉酒。　3双鸳：绣有鸳鸯的双鞋，此处代指足迹。

莺啼序 春晚感怀

残寒正欺病酒，掩沉香绣户。燕来晚、飞入西城，似说春事迟暮。画船载、清明过却，晴烟冉冉吴宫树。念羁情游荡，随风化为轻絮。

十载西湖，傍柳系马，趁娇尘软雾。溯红渐、招入仙溪，锦儿偷寄幽素[1]。倚银屏、春宽梦窄，断红湿、歌纨金缕[2]。暝堤空，轻把斜阳，总还鸥鹭。

幽兰旋老，杜若还生，水乡尚寄旅。别后访、六桥无信[3]，事往花委，瘗玉埋香，几番风雨。长波妒盼，遥山羞黛，渔灯分影春江宿。记当时、短楫桃根渡[4]，青楼仿佛。临分败壁题诗，泪墨惨淡尘土。

危亭望极，草色天涯，叹鬓侵半苎[5]。暗点检、离痕欢唾，尚染鲛绡[6]。掸凤迷归，破鸾慵舞[7]。殷勤待写，书中长恨，蓝霞辽海沉过雁，漫相思、弹入哀筝柱。伤心千里江南，怨曲重招，断魂在否[8]？

【注解】

1红渐:有落花漂浮其上的流水。锦儿:钱塘名妓杨爱爱的侍女。 2断红:即眼泪。歌纨(wán)金缕:歌纨,唱歌时手执的纨扇。金缕,金线绣成的衣服,此处指跳舞时穿的衣服。 3六桥:指西湖外湖之六座堤桥,自南向北依名为映波、锁澜、望山、压堤、东浦和跨虹,宋苏轼所建。 4桃根渡:指分别之处。 5苎(zhù):苎麻,白色,此处形容白发。 6鲛绡:海中鲛人所织之绡,形容美丽的纱巾。 7掸(duǒ)凤:垂翅之凤。掸,下垂的样子。破鸾:破碎的镜子。鸾,指鸾镜。 8"伤心"三句:化用《楚辞·招魂》:"目极千里兮伤春心,魂兮归来哀江南。"

惜黄花慢

次吴江，小泊，夜饮僧窗惜别。邦人赵簿携小妓侑尊，连歌数阕，皆清真词[1]。酒尽已四鼓，赋此词饯尹梅津[2]。

送客吴皋，正试霜夜冷，枫落长桥[3]。望天不尽，背城渐杳，离亭黯黯，恨水迢迢。翠香零落红衣老[4]，暮愁锁、残柳眉梢。念瘦腰、沈郎旧日，曾系兰桡[5]。

仙人凤咽琼箫，怅断魂送远，《九辩》难招[6]。醉鬟留盼[7]，小窗剪烛，歌云载恨，飞上银霄。素秋不解随船去，败红趁一叶寒涛。梦翠翘[8]，怨鸿料过南谯[9]。

【注解】

1 邦人：当地人。侑尊：劝酒。清真词：周邦彦的词，周邦彦号清真居士。　2 尹梅津：名焕，字惟晓，山阴人，嘉定十年 1217 进士。　3 皋（gāo）：水边高地。试霜：初次降霜。枫落：唐崔明信有诗句："枫落吴江冷。" 4 翠香、红衣：指荷叶、荷花。　5 沈郎：指沈约久病而瘦削。桡（ráo）：船桨。　6《九辩》：宋玉名篇，开头有"登山临水兮送将归"之句。　7 醉鬟：指小妓。　8 翠翘：女子首饰，此处代表所思之女子。　9 南谯（qiáo）：南楼。谯，高楼。

高阳台 落梅

宫粉雕痕，仙云堕影[1]，无人野水荒湾。古石埋香，金沙锁骨连环[2]。南楼不恨吹横笛[3]，恨晓风、千里关山。半飘零，庭上黄昏，月冷阑干。

寿阳空理愁鸾⁴，问谁调玉髓，暗补香瘢⁵？细雨归鸿，孤山无限春寒。离魂难倩招清些，梦缟衣、解佩溪边⁶。最愁人，啼鸟晴明，叶底青圆⁷。

【注解】

1官粉雕痕：形容梅花色泽。仙云堕影：形容梅花姿态。 2"古石"二句：此处用典。《续玄怪录》中载：延州有美妇，少年皆与之亲昵，死后葬于道左。有胡僧曰："此乃锁骨菩萨，慈悲喜舍，世俗之欲，无不徇焉。"众人掘墓，见其骨如锁状。黄庭坚《戏答陈季常寄黄州山中连理松枝》诗云："金沙滩头锁子骨，不妨随俗暂婵娟。"词中用以比喻梅花，指梅花以美艳之身入世悦人，谢落后复归于清净的本体。 3吹横笛：笛曲有《梅花落》。李白诗《与史郎中钦听黄鹤楼上吹笛》中有："黄鹤楼中吹玉笛，江城五月落梅花。" 4寿阳：用寿阳公主梅花妆之典。鸾，指鸾镜。 5玉髓、香瘢（bān）：瘢，疤痕。此处有典。三国孙吴邓夫人面颊受伤，医言以白獭髓调玉屑，可消疤痕。此处仍暗合上句寿阳公主之事。 6缟（gǎo）衣：指白衣仙女，苏轼有诗："海南仙云娇堕砌，月下缟衣来叩门。"解佩：用《列仙传》中江妃二女出游于江汉之湄，解佩赠予郑交甫之典。 7叶底清圆：指叶下的梅子。杜牧有诗："绿叶成荫子满枝"。

高阳台 丰乐楼分韵得"如"字¹

修竹凝妆，垂杨驻马，凭阑浅画成图。山色谁题？楼前有雁斜书。东风紧送斜阳下，弄旧寒、晚酒醒余。自消凝，能几花前，顿老相如²？

伤春不在高楼上，在灯前敧枕，雨外熏炉。怕舣游船³，临流可奈清癯⁴？飞红若到西湖底，搅翠澜、总是愁鱼。莫重来，吹尽香绵，泪满平芜。

【注解】

1 丰乐楼：古时杭州城西涌金门外著名酒楼。 2 相如：司马相如，体弱多病，此处作者自比。 3 舣（yǐ）:停船靠岸。 4 清癯（qú）:癯，同"癯"。清瘦。

三姝媚 过都城旧居有感

湖山经醉惯。渍春衫¹，啼痕酒痕无限。又客长安，叹断襟零袂，涴尘谁浣²。紫曲门荒，沿败井、风摇青蔓。对语东邻，犹是曾巢，谢堂双燕³。

春梦人间须断，但怪得当年，梦缘能短⁴。绣屋秦筝，傍海棠偏爱，夜深开宴。舞歇歌沉，花未减、红颜先变。伫久河桥欲去，斜阳泪满。

【注解】

1 渍（zì）:浸染。 2 涴（wò）:弄脏，指污物粘在衣服或器物上。浣（huàn）:清洗。 3 谢堂双燕：化用刘禹锡《乌衣巷》中诗句："旧时王谢堂前燕，飞入寻常百姓家。" 4 能：此处同"恁"，如此，这样。

八声甘州 灵岩陪庚幕诸公游[1]

渺空烟四远，是何年、青天坠长星。幻苍崖云树，名娃金屋，残霸宫城[2]。箭径酸风射眼[3]，腻水染花腥[4]。时靸双鸳响[5]，廊叶秋声。

宫里吴王沉醉，倩五湖倦客[6]，独钓醒醒。问苍波无语，华发奈山青。水涵空、阑干高处，送乱鸦、斜日落渔汀。连呼酒、上琴台去[7]，秋与云平。

【注解】

1 灵岩：在今苏州以西，春秋末吴王夫差曾建离宫于此，因享盛名。庚幕：即提举常平企司幕府。　2 名娃金屋：指馆娃宫，位于灵岩山上，为吴王夫差为宠幸西施而建。残霸：指夫差。　3 箭径：《吴郡志》云："灵岩山前有采香径横斜如卧箭。"酸风射眼：出自李贺诗："东关酸风射眸子。"4 腻水：出自《阿房宫赋》："渭流涨腻，弃脂水也。"　5 靸（sǎ）：即拖鞋。此处做动词用。　6 五湖倦客：指范蠡，范于吴亡后曾游五湖。　7 琴台：灵岩山上名胜。

踏莎行

润玉笼绡[1]，檀樱倚扇[2]，绣圈犹带脂香浅[3]。榴心空叠舞裙红，艾枝应压愁鬟乱[4]。

午梦千山，窗阴一箭，香瘢新褪红丝腕[5]。隔江人在雨声中，晚风菰叶生秋怨[6]。

177

【注解】

1润玉:指女子如玉的肌肤。 2檀樱:檀口樱唇,指女子嘴唇。 3绣圈:女子绣花所用的工具。 4艾枝:端午节以艾草做成虎形,佩以辟邪。 5一箭:漏箭之一刻。香瘢:疤痕,印痕。 6菰(gū)叶:菰,多年生草本植物,生于浅水,嫩茎称"茭白",可做菜;果实称"菰米",可煮食。

瑞鹤仙

晴丝牵绪乱[1],对沧江斜日,花飞人远。垂杨暗吴苑,正旗亭烟冷[2],河桥风暖。兰情蕙盼[3],惹相思、春根酒畔[4]。又争知[5]、吟骨萦消,渐把旧衫重剪。

凄断。流红千浪,缺月孤楼,总难留燕。歌尘凝扇,待凭信,拼分钿[6]。试挑灯欲写,还依不忍,笺幅偷和泪卷。寄残云剩雨蓬莱[7],也应梦见。

【注解】

1晴丝:即游丝,春天虫类在空中吐出的细丝。 2旗亭:市楼,酒楼。 3兰情蕙盼:比喻深情厚谊。 4春根:即春末。 5争:怎。 6分钿:将钿盒拆开,寄一半给对方作为信物,此处指分别。出自白居易《长恨歌》:"钗留一股合一扇,钗擘黄金合为钿。" 7蓬莱:指仙镜,此处代指所思之人的住所。

鹧鸪天 化度寺作 [1]

池上红衣伴倚阑，栖鸦常带夕阳还。殷云度雨疏桐落 [2]，明月生凉宝扇闲。

乡梦窄，水天宽，小窗愁黛淡秋山。吴鸿好为传归信 [3]，杨柳阊门屋数间 [4]。

【注解】

1 化度寺：在仁和县（今并为杭州）北。　2 殷云：浓密的阴云。度雨：阵雨。　3 吴鸿：吴地的大雁。　4 阊（chāng）门：城门名，在苏州城西。

夜游宫

人去西楼雁杳，叙别梦、扬州一觉 [1]。云淡星疏楚山晓。听啼乌，立河桥，话未了。

雨外蛩声早，细织就、霜丝多少 [2]？说与萧娘未知道 [3]，向长安，对秋灯，几人老？

【注解】

1 扬州一觉（jiào）：化用杜牧诗句"十年一觉扬州梦，赢得青楼薄幸名"之意。　2 霜丝：比喻白发。　3 萧娘：南朝以来，诗词中男子所恋女子常称萧娘，女子所恋男子则称萧郎。

贺新郎 陪履斋先生沧浪看梅[1]

乔木生云气，访中兴、英雄陈迹[2]，暗追前事。战舰东风悭借便[3]，梦断神州故里。旋小筑、吴宫闲地，华表月明归夜鹤[4]，叹当时、花竹今如此。枝上露，溅清泪。

遨头小簇行春队[5]。步苍苔、寻幽别墅，问梅开未？重唱梅边新度曲，催发寒梢冻蕊。此心与、东君同意[6]。后不如今今非昔，两无言、相对沧浪水。怀此恨，寄残醉。

【注解】

1履斋先生：吴潜，字毅夫，时为平江（今苏州）知府。沧浪：即沧浪亭，位于今苏州府学东，曾为抗金名将韩世忠别墅。 2英雄：指韩世忠。 3战舰东风悭借便：叹息韩世忠于黄天荡一战，大胜金兵，乘胜追击，却未能生擒金军首领。借意杜牧"东风不与周郎便"。 4归夜鹤：用丁令威化鹤之典故。 5遨头：宋代达官出游，民众皆出街看热闹，为官者为遨游之首，遂被称为遨头。 6东君：春神，亦指东道主吴履斋。

唐多令 惜别

何处合成愁？离人心上秋[1]。纵芭蕉，不雨也飕飕。都道晚凉天气好，有明月、怕登楼。

年事梦中休，花空烟水流，燕辞归、客尚淹留[2]。垂柳不萦裙带住[3]，漫长是、系行舟。

黄孝迈

黄孝迈(生卒年不详),字德文,号雪舟,生平不详。有《雪舟长短句》,已遗失。刘克庄称其词作"清丽"而"绵密"。

湘春夜月

近清明,翠禽枝上消魂。可惜一片清歌,都付与黄昏。欲共柳花低诉,怕柳花轻薄,不解伤春。念楚乡旅宿,柔情别绪,谁与温存?

空尊夜泣,青山不语,残照当门。翠玉楼前,惟是有、一陂湘水[1],摇荡湘云。天长梦短,问甚时、重见桃根[2]?者次第、算人间没个并刀[3],剪断心上愁痕。

【注解】

1陂(bēi):湖泊,池。　2桃根:东晋有《桃叶歌》:"桃叶复桃叶,桃叶连桃根。相怜两乐事,独使我殷勤。"相传为王献之所作,桃叶是其妾的名字。后人则常用桃叶、桃根指代自己的意中人。　3者次第:这许多情景。并(bīng)刀:宋时并州产剪刀,以锋利著称。时有"并刀"之名。

潘希白

潘希白（生卒年不详），字怀古，号渔庄，永嘉（今浙江温州）人。宝祐元年（1253）进士，任干办临安节制司公事，德祐初，召为史馆检校，不赴。寓居于柳塘，纵游山水，填词作赋，时有盛名。

大 有 九日 [1]

戏马台前，采花篱下 [2]，问岁华、还是重九。恰归来、南山翠色依旧。帘栊昨夜听风雨，都不似、登临时候。一片宋玉情怀，十分卫郎清瘦 [3]。

红萸佩 [4]，空对酒，砧杵动微寒，暗欺罗袖。秋已无多，早是败荷衰柳。强整帽檐欹侧 [5]，曾经向、天涯搔首。几回忆、故国莼鲈 [6]，霜前雁后。

【注解】

1 九日：指农历九月初九重阳节。 2 戏马台：指宋武帝重阳登临之戏马台。采花篱下：用陶潜"采菊东篱下"诗意。 3 宋玉情怀：即悲秋之情怀。卫郎：指晋代名士卫玠，因身体羸弱，身体瘦削。此处为作者自况。 4 红萸佩：指重阳插戴茱萸之俗。 5 帽檐欹侧：帽子歪斜。用晋人孟嘉之典故。 6 莼鲈：用晋代张翰见秋风起，而思念故乡莼菜鲈鱼，辞官归乡之典故。

无名氏

原题为黄公绍所作。黄公绍，字直翁，邵武（今属福建）人。咸淳元年（1265）进士，南宋既亡，便隐居樵溪，不复出仕。有《在轩词》存世。但本首《青玉案》却不在此集中，《阳春白雪》、《翰墨大全》、《花草粹编》中，引此首均不注作者，惟《词林万选》、《历代诗余》将此首归于黄所作。

青玉案

年年社日停针线[1]，怎忍见、双飞燕？今日江城春已半，一身犹在，乱山深处，寂寞溪桥畔。

春衫着破谁针线[2]？点点行行泪痕满。落日解鞍芳草岸，花无人戴，酒无人劝，醉也无人管。

【注解】

1 社日：古时祭祀土神的日子，一般在立春、立秋后第五个戊日。祭祀期间忌针线，因此作"停针线"之说。　2 此句意为：我春天的衣衫穿破了，谁来为我缝补？

朱嗣发

朱嗣发（1234—1304），字士荣，号雪崖，乌程（今浙江吴兴）人。宋亡前，他居家奉亲；宋亡后，曾被举为提学学官，隐居不受。《阳春白雪》录有其词一首。

摸鱼儿

对西风、鬓摇烟碧，参差前事流水。紫丝罗带鸳鸯结，的的镜盟钗誓[1]。浑不记，漫手织回文[2]，几度欲心碎。安花着叶，奈雨覆云翻，情宽分窄[3]，石上玉簪脆。

朱楼外，愁压空云欲坠，月痕犹照无寐。阴晴也只随天意，枉了玉消香碎。君且醉，君不见、长门青草春风泪[4]。一时左计[5]，悔不早荆钗，暮天修竹，头白倚寒翠[6]。

【注解】

1 的的（dí dí）：确确实实。 2 回文：用《回文璇玑图》之典故，表示相思意。 3 分（fèn）：缘分。 4 长门：用长门宫之典故。 5 左计：失算，失策。 6 荆钗：指妇女清贫为生。《列女传》有载："梁鸿妻孟光，荆钗布裙。""暮天"两句化用杜甫诗《佳人》："天寒翠袖薄，日暮倚修竹。"

刘辰翁

刘辰翁（1232—1297），字会孟，号须溪，庐陵（今江西吉安市）人。少从陆九渊习学，理宗景定三年（1262）进士，曾因忤逆贾似道遭贬黜，自请濂溪书院山长。宋亡后，隐居不仕，填词著书。作为爱国人士，他目睹权奸误国、宋室覆亡，悲愤不已；作为遗民词人，他抒发爱国之情，满怀感伤、哀悼故国。其词风遒劲，与苏、辛一脉相承，借写节日景象，伤春、送春，来寄托自己深沉的眷念和对故国的怀旧之情。凄切沉痛而又不失悲壮豪迈之气魄。有《须溪词》三卷。

兰陵王　丙子送春 [1]

送春去，春去人间无路。秋千外，芳草连天，谁遣风沙暗南浦。依依甚意绪？漫忆海门飞絮 [2]。乱鸦过、斗转城荒，不见来时试灯处 [3]。

春去谁最苦？但箭雁沉边，梁燕无主，杜鹃声里长门暮。想玉树凋土，泪盘如露 [4]。咸阳送客屡回顾，斜日未能度。

春去尚来否？正江令恨别，庾信愁赋 [5]，苏堤尽日风和雨。叹神游故国，花记前度。人生流落，顾孺子 [6]，共夜语。

【注解】

1 丙子：指南宋德祐二年，景炎元年(1276)。此年正月，元军攻陷南宋都城临安，南宋已名存实亡。　2 海门：地名，今属浙江。其时南宋皇室及部分朝臣经由海路逃亡福建等地。　3 试灯：元宵节前张灯预赏，叫试灯。　4 玉树凋土：玉树都被埋入土中，比喻国破家亡。泪盘如露：指汉武帝所制承露盘，同比喻国土沦丧。　5 江令：指南朝江淹，曾作《恨赋》《别赋》。庾信：同为南北朝诗人，曾作《愁赋》。　6 孺子：儿子，辰翁有子名将孙，也善作词。

宝鼎现

红妆春骑，踏月影、竿旗穿市 [1]。望不尽、楼台歌舞，习习香尘莲步底 [2]。箫声断、约彩鸾归去，未怕金吾呵醉 [3]。甚辇路、喧阗且止，听得念奴歌起 [4]。

父老犹记宣和事 [5]。抱铜仙 [6]、清泪如水。还转盼、沙河多丽 [7]。滉漾明光连邸第，帘影动、散红光成绮 [8]。月浸葡萄十里，看往来、神仙才子，肯把菱花扑碎 ⁹？

肠断竹马儿童，空见说、三千乐指 ¹⁰。等多时、春不归来，到春时欲睡。又说向、灯前拥髻，暗滴鲛珠坠 ¹¹。便当日、亲见《霓裳》¹²，天上人间梦里。

【注解】

1 竿旗穿市：将彩旗挂在竹竿上，横穿于街市。 2 "习习"句：意为就连女子脚下扬起的尘土都香气习习。 3 彩鸾：据林坤《诚斋杂记》中载：晋太和末，有一书生文萧出游，遇仙女彩鸾，遂同登仙而去。此处比喻约会的女子。金吾：执金吾，古代官名，掌管夜间警卫宵禁等。古代京城有金吾禁夜制度，但在元宵节前后各一日有特许，可不做宵禁。 4 喧阗（tián）：声音喧闹杂乱。念奴：本为唐代著名歌女之名，后多用来借指歌女。 5 宣和：北宋徽宗的年号。 6 铜仙：仍指承露盘。 7 沙河：杭州南五里有沙河塘，宋时民众聚居甚多，常年歌管不绝。 8 滉（huàng）漾：指水波荡漾。帘影动：一作"帘影冻"。此句意为：荡漾的水波映照着灯光与宅邸相连，帘影飘动，散出的红光犹如美丽的罗绮。 9 葡萄：比喻碧绿的湖水。菱花：唐代曾流行菱花形的铜镜，后多借指铜镜。此处暗用徐德言"破镜重圆"之典故，寄托哀悼故国山河破碎，何时再能复原之思。 10 三千乐指：宋时教坊大型乐队多达三百人，故称"三千乐指"。此句大意为：可怜从此以后的小孩子，都只能听说以前三千乐指的盛况，却再也难得一见了。 11 拥髻（jì）：形容女子愁苦之状。髻，盘在头顶或脑后的发结。鲛珠：传说南海中有鲛人，其眼泣则成珠。此处比喻眼泪。 12《霓裳》：即《霓裳羽衣曲》，为唐代开元盛世时的名曲。

永遇乐

余自乙亥上元[1],诵李易安《永遇乐》[2],为之涕下。今三年矣,每闻此词,辄不自堪。遂依其声,又托之易安自喻,虽辞情不及,而悲苦过之。

璧月初晴,黛云远淡,春事谁主?禁苑娇寒,湖堤倦暖,前度遽如许[3]。香尘暗陌,华灯明昼,长是懒携手去。谁知道、断烟禁夜[4],满城似愁风雨。

宣和旧日,临安南渡[5],芳景犹自如故。缃帙流离[6],风鬟三五[7],能赋词最苦。江南无路,鄜州今夜[8],此苦又谁知否?空相对、残釭无寐[9],满村社鼓。

【注解】

1乙亥上元:宋恭宗德祐元年(1275)元宵节。　2李易安《永遇乐》:即李清照《永遇乐·元宵》。　3遽(jù):飞快,匆匆。　4断烟禁夜:指临安北元军占领,上元节亦实施宵禁。　5宣和旧日,临安南渡:宣和为北宋徽宗年号,时都城为汴京(即开封),临安,即今杭州,为南宋都城。此处指李清照从北方南渡流亡之事。　6缃帙(zhì):原指浅黄色的书衣,此处代指书卷。意为书籍多在流亡中遗失。　7风鬟(huán)三五:李清照《永遇乐》中有"记得偏重三五",及"风鬟雾鬓,怕见夜间出去"两句。　8鄜(fū)州今夜:鄜州,今陕西富县。指安史之乱中,杜甫困于长安,其家眷寄居鄜州,有诗云:"今夜鄜州月,闺中只独看。遥怜小儿女,未解忆长安。"　9残釭(gāng):残灯。

摸鱼儿 酒边留同年徐云屋 [1]

怎知他、春归何处？相逢且尽尊酒。少年裛裛天涯恨，长结西湖烟柳。休回首，但细雨断桥，憔悴人归后。东风似旧，向前度桃花，刘郎能记，花复认郎否 [2]？

君且住，草草留君剪韭 [3]，前宵正恁时候 [4]。深杯欲共歌声滑，翻湿春衫半袖。空眉皱。看白发尊前，已似人人有。临分把手，叹一笑论文，清狂顾曲 [5]，此会几时又？

【注解】

1 同年：古时参加科举同榜录取之人则互称同年。徐云屋：与作者同年中进士的友人。 2 此处化用唐刘禹锡诗《再游玄都观》："种桃道士归何处？前度刘郎今又来。" 3 草草留君剪韭：意为以粗茶淡饭待客。杜甫有诗《赠卫八处士》："夜雨剪春韭，新炊间黄粱。" 4 恁时候：这时候。 5 论文：化用杜甫诗《春日忆李白》："何时一尊酒，重与细论文。"顾曲：听曲。用周郎顾曲典故。《三国志》中载："瑜少精意于音乐，虽三爵之后，其有阙误，瑜必知之，知之必顾。"后有谣曰："曲有误，周郎顾。"

周 密

周密（1232—1298），字公谨，号草窗，又号萧斋。祖籍济南，祖随宋室南渡，寓居吴兴（今浙江湖州）。宋末曾做过义乌县令，宋亡后隐居不仕，以保存故国文献为己任。长居杭州癸辛街，网罗采撷，编撰著书数十种，《齐东野语》、《武林旧事》、《癸辛杂识》等书皆为宋代野史中重要文献。于宋末词坛，颇有威名，与吴文英并称"二窗"。其词风格律严谨，工于字句，清丽凝练，韵美声谐。曾自主编辑《绝妙好词》，多录清丽婉约之词，反映出其重音律形式而轻词义的艺术倾向。

高阳台 送陈君衡被召¹

照野旌旗，朝天车马²，平沙万里天低。宝带金章³，尊前茸帽风敧⁴，秦关汴水经行地，想登临、都付新诗。纵英游，叠鼓清笳⁵，骏马名姬。

酒酣应对燕山雪，正冰河月冻，晓陇云飞。投老残年，江南谁念方回⁶？东风渐绿西湖岸，雁已还、人未南归。最关情，折尽梅花，难寄相思。

【注解】

1陈君衡：作者友人。名允平，字君衡，号西麓，四明人。宋亡后，应元朝廷召赴大都为官。好填词，有《日湖渔唱》。 2朝天：即朝见天子。 3宝带金章：官服有宝玉的饰带，金章即金印。 4茸帽风敧（qī）：茸帽，皮帽。敧，倾斜。意为皮帽被风吹得倾斜了。《北史·周书·独孤信传》中载："信在秦州，尝因猎，日暮，驰马入城，其帽微侧。诘旦，而吏民有戴帽者咸慕信而侧帽焉。" 5叠鼓清笳（jiā）：叠鼓，小击鼓；清笳，清亮的胡笳声。王维有诗《燕支行》："叠鼓遥翻瀚海波，鸣笳乱动天山月。" 6方回：指贺铸，方回是贺铸的字。贺铸曾有词句："试问闲愁都几许？一川烟草，满城风絮，梅子黄时雨。"黄庭坚则写诗称："解道江南肠断句，世间惟有贺方回。"此处为作者以贺铸自比，亦与即将赴京做官的友人相比，含蓄表达出作者对友人的不满之情。

瑶　华[1]

朱钿宝玦，天上飞琼[2]，比人间春别。江南江北，曾未见、漫拟梨云梅雪。淮山春晚[3]，问谁识、芳心高洁？消几番、花落花开，老了玉关豪杰。

金壶剪送琼枝，看一骑红尘，香度瑶阙[4]。韶华正好，应自喜、初乱长安蜂蝶。杜郎老矣[5]，想旧事花须能说。记少年一梦扬州，二十四桥明月[6]。

【注解】

1一作"瑶花慢"。题下原有残序："后土之花，天下无二本。方其初开，帅臣以金瓶飞骑进之天上，间亦分致贵邸。余客辇下，有以一枝……" 2宝玦（jué）：玦，半环形有缺口的佩玉。飞琼：许飞琼，仙女，传说中西王母的侍女。 3淮山：即指盱眙军的都梁山，在淮水旁。 4一骑（jì）红尘：化用杜牧名诗《华清宫》："一骑红尘妃子笑，无人知是荔枝来。"此句意为：看那使者骑上快马，扬起红尘，将这琼花的香气直达瑶台宫阙。瑶阙，指天上的仙宫，此处暗指皇宫。 5杜郎：即指杜牧，此处为作者自比。 6"记少年"两句化用杜牧诗："十年一觉扬州梦，赢得青楼薄幸名"，"二十四桥明月夜，玉人何处教吹箫。"

玉京秋

长安独客，又见西风，素月丹枫，凄然其为秋也，因调夹钟羽一解[1]。

烟水阔，高林弄残照，晚蜩凄切[2]。碧砧度韵，银床飘叶[3]。衣湿桐阴露冷，采凉花、时赋秋雪[4]。叹轻别，一襟幽事，砌虫能说[5]。

客思吟商还怯。怨歌长、琼壶暗缺[6]。翠扇恩疏[7]，红衣香褪，翻成消歇。玉骨西风，恨最恨、闲却新凉时节。楚箫咽，谁倚西楼淡月[8]。

【注解】

1 夹钟羽一解：夹钟羽，为一种律调。一解，一阕。 2 晚蜩（tiáo）凄切：蜩，即蝉。柳永词《雨霖铃》中有："寒蝉凄切，对长亭晚，骤雨初歇。" 3 碧砧（zhēn）：青石板。银床：井架。此句意为：青石板上传来有节奏的响声，白色的井架上落满树叶。 4 凉花、秋雪：皆指芦花，秋天所开之花。 5 砌虫：一作"砌蛩"，指蟋蟀。 6 琼壶暗缺：此处用典。《世说新语》中载：晋王敦酒后，唱咏乐府"老骥伏枥"，以如意击打唾壶为节拍，壶口遂缺。 7 翠扇恩疏：写荷叶稀疏，用班婕妤《团扇诗》典故。汉代嫔妃班婕妤曾作《怨歌行》，又称《团扇诗》，以抒发佳人失时、红颜薄命的悲叹，团扇也成为后世诗人们常用的意象。此处作者以荷叶比拟团扇，再以团扇之典自况。后句"红衣香褪"指荷花凋零。 8 倚：一作"寄"。

曲游春

禁烟湖上薄游，施中山赋词甚佳[1]，余因次其韵。盖平时游舫，至午后则尽入里湖，抵暮始出断桥，小驻而归，非习于游者不知也。故中山亟击节余"闲却半湖春色"之句[2]，谓能道人之所未云。

禁苑东风外[3]，飏暖丝晴絮[4]，春思如织。燕约莺期。恼芳情偏在，翠深红隙。漠漠香尘隔，沸十里、乱丝丛笛[5]。看画船、尽入西泠[6]，闲却半湖春色。

柳陌。新烟凝碧。映帘底宫眉，堤上游勒[7]。轻暝笼寒，怕梨云梦冷，杏香愁幂[8]。歌管酬寒食，奈蝶怨、良宵岑寂。正满湖、碎月摇花，怎生去得？

【注解】

1禁烟：点明时间，即寒食节，寒食节有禁烟火之俗。施中山：名岳，字仲山，吴人。　2击节：此处为赞赏的意思。　3禁苑：意指皇宫园林。因南宋建都杭州，西湖一带遂成皇家园林，故称禁苑。　4飏：飘扬。　5乱丝丛笛：形容众多乐器齐鸣。　6西泠（líng）：西湖桥名。　7帘底宫眉：楼中宫女。堤上游勒：湖堤上骑马的游人。　8幂：覆盖，遮盖。

花　犯 水仙花

楚江湄，湘娥再见[1]，无言洒清泪，淡然春意。空独倚东风，芳思谁寄？凌波路、冷秋无际。香云随步起，漫记得、汉宫仙掌²，亭亭明月底。

冰丝写怨更多情，骚人恨，枉赋芳兰幽芷³。春思远，谁叹赏国香风味⁴？相将共、岁寒伴侣⁵，小窗静，沉烟熏翠被⁶。幽梦觉、涓涓清露，一枝灯影里。

【注解】

1湄（méi）：岸边水草相接之地。湘娥：指湘妃，此处比喻水仙花。　2汉宫仙掌：指汉武帝所制承露盘。　3冰丝：一作"冰弦"。"骚人恨"二句：屈原常在《离骚》中提及"芳兰幽芷"的意象，用以比喻自身高洁。　4国香：对花的高度赞誉之称，此处形容水仙花香高雅，有国色天香。　5岁寒伴侣：指松、竹、梅，"岁寒三友"。　6翠被：一作"翠玦"。

蒋 捷

蒋捷（生卒年不详），字胜欲，号竹山，阳羡（今江苏宜兴）人。度宗咸淳十年（1274）进士，南宋灭亡后遁迹山林而不仕，气节为时人所重，擅填词，有《竹山词》九十余首，人称"竹山先生"，亦因一句"红了樱桃，绿了芭蕉"而获美名"樱桃进士"。其词多以凄清笔调抒写亡国之恨，时而悲凉隽永，时而洗练清丽。为"宋末四大家"之一。

瑞鹤仙 乡城见月

绀烟迷雁迹¹，渐碎鼓零钟，街喧初息。风檠背寒壁²。放冰蟾³，飞到蛛丝帘隙。琼瑰暗泣⁴，念乡关、霜华似织。

漫将身化鹤归来，忘却旧游端的⁵。

欢极。蓬壶蕖浸⁶，花院梨溶⁷，醉连春夕。柯云罢弈，樱桃在⁸，梦难觅。劝清光、乍可幽窗相照⁹，休照红楼夜笛。怕人间换谱《伊》《凉》¹⁰，素娥未识。

【注解】

1绀（gàn）：红青色，一种略带红的深青色。 2檠（qíng）：灯架，烛台。此句意为：靠于寒壁的孤灯在风中摇曳。 3冰蟾：指月亮。南宋侯真有《青玉案》词："腊梅开遍，冰蟾圆后，梦断灵溪路。" 4琼瑰：美石珠玉，此处比喻眼泪。《左传》中有："声伯梦涉洹，或与己琼瑰食之，泣而为琼瑰，盈其怀。" 5化鹤归来：仍用丁令威修道成仙化鹤归来之典。端的（dì）：究竟，实情。 6蓬壶蕖浸：蓬壶，蓬莱、方壶，皆为海中仙山，此处指代水中汀洲。蕖（qú）：芙蕖，即荷花。 7花院梨溶：在开满梨花的院落赏月色溶溶。晏殊有诗《寓意》："梨花院落溶溶月，柳絮池塘淡淡风。" 8柯云罢弈：柯，斧柄。此处有典。《述异记》中记载：晋王质入山采樵，遇二童对弈，棋局终了，童云："汝柯烂矣。"质归家已过百年。此处借指时光荏苒。樱桃在：亦用典。《酉阳杂俎》中载：有人梦邻女赠樱桃食之，食后醒来，方知是梦，却有樱桃核于枕侧。 9乍可：宁可。 10伊凉：《伊州》、《凉州》，皆为古时曲名。

贺新郎

梦冷黄金屋¹。叹秦筝、斜鸿阵里²，素弦尘扑。化作娇莺飞归去，犹认纱窗旧绿。正过雨、荆桃如菽³。此恨难平君知否？似琼台、涌起弹棋局⁴。消瘦影，嫌明烛。

鸳楼碎泻东西玉⁵，问芳踪、何时再展，翠钗难卜。待把宫眉横云样，描上生绡画幅。怕不是、新来妆束。彩扇红牙今都在 ⁶，恨无人、解听开元曲 ⁷。空掩袖，倚寒竹 ⁸。

【注解】

1黄金屋：即金屋藏娇的典故。汉武帝时，长公主欲将阿娇（即陈皇后）许配给他，汉武帝称："若得阿娇作妇，当作金屋贮之。"此处则作故国之思。　2斜鸿阵里：指古筝上的弦柱斜列如雁阵。　3荆桃：即樱桃。菽（shū）：豆类总称。　4弹棋局：古代弹棋，棋盘以玉石做成，形状中间隆起，而四周低。李商隐有诗："莫近弹棋局，中心最不平。"　5鸳楼：鸳鸯楼，宫中楼名。东西玉：又叫"玉东西"，一种酒杯，此处代指酒。　6红牙：红色的牙板，一种打节拍的乐器。　7开元曲：指盛唐时的歌曲。开元，唐玄宗年号。　8此句化用杜甫诗《佳人》："天寒翠袖薄，日暮倚修竹。"

女冠子 元夕 ¹

蕙花香也。雪晴池馆如画。春风飞到，宝钗楼上 ²，一片笙箫，琉璃光射 ³。而今灯漫挂，不是暗尘明月 ⁴，那时元夜。况年来、心懒意怯，羞与蛾儿争耍 ⁵。

江城人悄初更打。问繁华谁解，再向天公借。剔残红地，但梦里隐隐，钿车罗帕 ⁶。吴笺银粉砑 ⁷，待把旧家风景，写成闲话。笑绿鬟邻女，倚窗犹唱，夕阳西下 ⁸。

【注解】

1元夕：即元宵节。　2宝钗楼：古时咸阳著名酒楼名，此处泛指酒楼歌馆。　3琉璃：指琉璃彩灯。据《武林旧事》载，南宋都城临安元宵节，官苑及街市皆张挂有琉璃彩灯，光彩夺目。　4暗尘明月：唐代苏味道《上元》诗："暗尘随马去，明月逐人来。"　5蛾儿：古时妇人元夕所戴的彩花头饰。此处代指女子。　6红炧（xiè）：指红烛燃烬。钿（diàn）车罗帕：钿车，用金花装饰的车子；罗帕，丝织方巾，古时女子随身之物，此处代指女子。　7吴笺银粉砑：此句意为吴地的笺纸嵌着银粉。砑（yà）：以卵石等硬物碾磨锦缎、皮革等物，使之光亮，或将金银粉末压嵌进纸张等物上。　8夕阳西下：指范周所作之词《宝鼎现》。范周，范仲淹之侄孙，尝于元宵节作词，描写元夕盛况，一时为天下传唱。词中有："夕阳西下，暮霭红隘，香风罗绮。"

张　炎

　　张炎（1248—约1320），字叔夏，号玉田，又号乐笑翁，祖籍凤翔，寓居临安（今浙江杭州）人。他出身显赫世家，祖上数代皆在宋朝为官，曾祖父为张镃，精于音律，享有词名，与陆游、辛弃疾等多有唱和。张炎年轻时亦纵情诗酒之间。元灭宋后，家境没落，张炎遂流落江湖。四十三岁时张炎曾北上元都求官，最终失意南归，潦倒至死。其词作多与其身世盛衰紧密相连，以写景咏物，寄托亡国之哀，词风凄切悲凉，缠绵婉转。张炎还曾从事词学研究，著有《词源》一书，论词的乐律与创作之法，偏重形式而轻内容。文学史上将其与著名词人姜夔并称为"姜张"。他亦与宋末著名词人蒋捷、王沂孙、周密并称"宋末四大家"。存词约三百首，有《山中白云词》。

高阳台 西湖春感

接叶巢莺[1]，平波卷絮，断桥斜日归船[2]。能几番游，看花又是明年。东风且伴蔷薇住，到蔷薇、春已堪怜。更凄然，万绿西泠[3]，一抹荒烟。

当年燕子知何处？但苔深韦曲，草暗斜川[4]。见说新愁，如今也到鸥边[5]。无心再续笙歌梦，掩重门、浅醉闲眠。莫开帘，怕见飞花，怕听啼鹃。

【注解】

1接叶巢莺：意为枝叶茂密相接处，有黄莺筑巢。杜甫有诗《陪郑广文游何将军山林》："卑枝低结子，接叶暗巢莺。" 2断桥：即著名的西湖断桥，在白堤东北一端。 3西泠（líng）：西泠桥，与断桥同为西湖"情人桥"，位于孤山下。 4韦曲：地名，指唐代长安城南郊，为当时韦姓豪族聚居之地，此处借指杭州贵族富豪之宅邸。斜川：地名，位于江西星子县，古时为文人雅士聚集之地，此处亦为借指。陶潜有诗《游斜川》。5"见说"二句：沙鸥色白，古有沙鸥因愁怨深而羽白之说，此处喻人因愁思而白头。辛弃疾《菩萨蛮》词："拍手笑沙鸥，一身都是愁。"

渡江云

久客山阴，王菊存问予近作[1]，书以寄之。

山空天入海，倚楼望极，风急暮潮初。一帘鸠外雨，几处闲田，隔水动春锄。新烟禁柳，想如今、绿到西湖。犹记得、当年深隐，门掩两三株。

愁余[2]。荒洲古溆[3]，断梗疏萍，更漂流何处？空自觉、围羞带减[4]，影怯灯孤。长疑即见桃花面[5]，甚近来、翻致无书[6]。书纵远，如何梦也都无？

【注解】

1 王菊存：考据不详，当为作者友人。　2 愁余：我愁绪满怀。　3 溆（xù）：水边。　4 围羞带减：腰围消瘦，衣带见短，指身体消瘦。　5 桃花面：化用唐崔护诗："人面桃花相映红。"此处借指心上人。　6 书：书信，此处指心上人的书信。

八声甘州

辛卯岁，沈尧道同余北归，各处杭、越。逾岁，尧道来问寂寞，语笑数日，又复别去，赋此曲。并寄赵学舟[1]。

记玉关、踏雪事清游[2]，寒气脆貂裘[3]。傍枯林古道，长河饮马，此意悠悠。短梦依然江表，老泪洒西州[4]。一字无题处，落叶都愁。

载取白云归去，问谁留楚佩，弄影中洲[5]？折芦花赠远，零落一身秋，向寻常、野桥流水，待招来、不是旧沙鸥。空怀感，有斜阳处，却怕登楼。

1辛卯岁，即元世祖至元二十八年（1290），张炎与沈尧道、赵学舟等赴大都（今北京）为元朝写《藏经》，次年南归。　2玉关：指玉门关，此处借指北方。　3脆貂裘：指极度的寒冷使得貂裘都变硬变脆了。　4江表：指江南。西州：此处用典。西州为古城名，在今南京市西。晋代谢安对羊昙有知遇之恩，谢安扶病回京，入西州城门。谢安死后，羊昙避而不行西州路。曾因醉酒，不觉行至西州门，触景伤情，乃恸哭而返。此处借指作者见故国而悲戚落泪。　5"问谁"二句：化用《九歌·湘君》："遗余佩兮澧浦"，"搴谁留兮中洲？"。作者以此借指自己有人眷顾，盼其早归。

解连环 孤雁

楚江空晚，恨离群万里，恍然惊散。自顾影、却下寒塘，正沙净草枯，水平天远。写不成书，只寄得、相思一点[1]。料因循误了，残毡拥雪[2]，故人心眼。

谁怜旅愁荏苒[3]。漫长门夜悄[4]，锦筝弹怨。想伴侣、犹宿芦花，也曾念春前，去程应转[5]。暮雨相呼[6]，怕蓦地、玉关重见。未羞他、双燕归来，画帘半卷。

【注解】

1此句意为：一只孤雁排不成字，写不成信，只能寄去一点相思。群雁飞行常排成"一"字或"人"字，而孤雁则只能成一点。　2因循：耽搁，延误。残毡拥雪：用苏武之典。汉代苏武出使匈奴，被匈奴所虏，拘禁十九年，曾被流放荒野牧羊，不给饮食，天降大雪，苏武以毡毛拌雪食之以求生。后双方和亲，汉使来索苏武，匈奴谎称苏武已死，汉使称汉天子曾射雁，于雁足见苏武书信，匈奴只得放苏武归。　3荏苒：时光渐渐流逝。　4漫长门夜悄：漫，徒然。长门，指陈皇后被汉武帝打入长门冷宫之事。　5去程应转：大雁为候鸟，秋时南徙，春来北归，故有此说。　6暮雨相呼：唐代崔涂有《孤雁》诗，其中有："暮雨相呼失，寒塘欲下迟。"

疏　影 咏荷叶

碧圆自洁。向浅洲远浦[1]，亭亭清绝。犹有遗簪[2]，不展秋心，能卷几多炎热？鸳鸯密语同倾盖[3]，且莫与、浣纱人说[4]。恐怨歌、忽断花风，碎却翠云千叠。

回首当年汉舞，怕飞去漫皱，留仙裙折[5]。恋恋青衫，犹染枯香，还叹鬓丝飘雪。盘心清露如铅水[6]，又一夜、西风吹折。喜净看、匹练飞光[7]，倒泻半湖明月。

【注解】

　1浦：一作"渚"。　2遗簪(zān)：指荷箭，尚未舒展开的荷叶卷。　3倾盖：盖，指古时车盖。车盖相倾，形容朋友相遇，《史记·鲁仲连邹阳列传》有语："白头如新，倾盖如故。"　4浣纱人：唐代郑谷《莲叶》诗中有："多谢浣纱人未折，雨中留得盖鸳鸯。"　5留仙裙折：此处用典。《赵后外传》中载："后歌归风送远之曲，帝以文犀箸击玉瓯。酒酣风起，后扬袖曰：'仙乎仙乎，去故而就新。'帝令左右持其裙，久之，风止，裙为之皱。后曰：'帝恩我，使我仙去不得。'他日宫姝或襞裙为皱，号留仙裙。"意为汉代赵飞燕善歌舞，裙子在风中飞起，犹如仙子欲飞去，风止后，裙子遂变皱，他日宫女将裙子做成皱褶，取名留仙裙。　6盘心清露如铅水：盘，以承露盘比喻荷叶。语出李贺诗《金铜仙人辞汉歌》："忆君清泪如铅水。"　7匹练飞光：天上的月光如同一匹白练飞来似的。

月下笛

孤游万竹山中，闲门落叶，愁思黯然，因动《黍离》之感。时寓甬东积翠山舍[1]。

　　万里孤云，清游渐远，故人何处？寒窗梦里，犹记经行旧时路。连昌约略无多柳[2]，第一是、难听夜雨。漫惊回凄悄，相看烛影，拥衾无语[3]。

　　张绪[4]。归何暮？半零落依依，断桥鸥鹭。天涯倦旅，此时心事良苦。只愁重洒西州泪[5]，问杜曲[6]、人家在否？恐翠袖，正天寒[7]，犹倚梅花那树。

【注解】

1 万竹山：在甬江以东，属今宁波市。黍离之感：指《诗经·王风》中之《黍离》，《毛诗序》称："《黍离》，闵宗周也。周大夫行役至于宗周，过宗庙公室，尽为黍离。闵宗周之颠覆，彷徨不忍去而作是诗也。"后世常以黍离之悲借指亡国之痛。元大德二年（1298），张炎流寓甬东，距南宋灭亡已二十年。　2 连昌：宫名，为唐高宗所置，在今河南宜阳，多植柳树，元稹有《连昌宫词》伤其荒凉残破。　3 拥衾无语：一作"拥岑谁语"。　4 张绪：南齐吴郡人，官至国子祭酒，时为美男子，风姿清雅，相传武帝曾植蜀柳于灵和殿前，尝曰："此柳风流可爱，似张绪当年时。"此处为作者自况当年。　5 西州泪：仍用谢安羊昙之事，见前《八声甘州》注。　6 杜曲：古地名，长安南郊，唐代时望族杜氏世居于此。此处泛指贵族聚居之地。亦为作者暗指自己没落的家世。　7 恐翠袖，正天寒：一作"恐翠袖天寒"。

王沂孙

王沂孙（生卒年不详），字圣与，号碧山，又号中仙、玉笥山人。会稽（今浙江绍兴）人。生活于宋末元初，至元年间（1264—1294），曾一度出任庆元路学正。作为旧朝遗民，常常将身世之忧、亡国之恸，隐晦纡曲地寄托于诗词之中。他是宋末格律派的代表词人，擅长咏物抒怀，词风高远优雅，尤喜用典，以致词义较为隐晦曲折。有《花外集》，又名《碧山乐府》。

天 香 龙涎香[1]

孤峤蟠烟[2]，层涛蜕月[3]，骊宫夜采铅水[4]。汛远槎风[5]，梦深薇露，化作断魂心字[6]。红瓷候火[7]，还乍识、冰环玉指[8]。一缕萦帘翠影，依稀海天云气。

几回殢娇半醉[9]，剪春灯、夜寒花碎。更好故溪飞雪，小窗深闭。荀令如今顿老[10]，总忘却、樽前旧风味。漫惜余熏，空篝素被[11]。

【注解】

1 龙涎香：原料为抹香鲸肠胃中的一种分泌物，状似琥珀，颜色灰白，燃后有奇香，且经久不散，为一种珍贵香料。世界上最早发现龙涎香是在中国汉代，渔民从海中捞获灰白色蜡状漂流物，有腥臭，但干燥后却散发出香气，点燃更是香味四溢，胜过麝香。后被官员当作宝物贡上宫廷，但当时谁也不知此为何物，便请教官中的"化学家"炼丹术士，他们认为这是海里的"龙"

在睡觉时流出的口水，滴到海水中凝固起来，假以时日，便凝成此物，"龙涎香"之名便由此得来。　2峤：山高而陡峭。蟠：盘绕。　3层涛蜕月：形容月光映于海面，层层波涛，犹如鳞甲正在蜕落一般。　4骊宫：传说中骊龙所居之处。铅水：指龙吐出的涎水。　5汛：指潮汛。槎（chá）：木筏。是说采香之人已载龙涎而远去，须趁着潮汛乘风而归。　6此句意为：夜深之时，龙涎和着蔷薇花露混合在一起，化成令人销魂的心字形篆香。心字：一种制成篆文"心"字形状的盘香。杨万里有诗："送似龙涎心字香，为君兴云绕明窗。"　7红瓷候火：等候（龙涎香）用文火烘焙而成后，用红瓷盒子贮藏。　8此句意为：还让人初次见到它刚被制成后如同冰环玉指的模样。　9嚏（tì）：此处为慵懒困乏之意。　10荀令：指荀彧（yù）。荀彧三国时曾为汉尚书令，世称荀令君。传说荀彧喜好熏香，《襄阳记》中载："荀令君至人家，坐幕三日，香气不歇。"李商隐亦有诗："荀令香炉可待薰。"　11空篝素被：篝，挂熏香的熏笼。素被，周邦彦《花犯》词中有："香篝熏素被。"

眉　妩 <small>新月</small>

　　渐新痕悬柳，淡彩穿花，依约破初暝¹。便有团圆意，深深拜²，相逢谁在香径？画眉未稳，料素娥³、犹带离恨。最堪爱、一曲银钩小⁴，宝帘挂秋冷。

　　千古盈亏休问，叹慢磨玉斧，难补金镜⁵。太液池犹在⁶，凄凉处、何人重赋清景？故山夜永⁷，试待他、窥户端正⁸。看云外山河，还老尽、桂花影⁹。

【注解】

　　1此首词为咏新月，此句意为：新月之影已渐渐悬至柳梢，淡淡的光华穿过花丛，隐约冲破了初初降临的夜色。暝：夜色。　2深深拜：李端有诗《新

203

月》："开帘见新月，即便下阶拜。" 3 素娥：嫦娥，代指月亮。 4 银钩：比喻新月。 5 慢：一作"谩"，徒然。意为：可叹徒然磨快刚的玉斧，也难以把这残缺的金镜（指圆月）修补起来。 6 太液池：此处有典。陈师道《后山诗话》中记载：宋太祖曾赴后池赏新月，召学士卢多逊作诗咏月，诗云："太液池头月上时，好风吹动万年枝。" 7 夜永：形容夜晚漫长。 8 此句意为：等到那，月圆之日，月光足以看清院落之时。端正，指月圆。 9 还老尽、桂花影：一作："还老桂花旧影"。

齐天乐 蝉

　　一襟余恨宫魂断[1]，年年翠阴庭树。乍咽凉柯，还移暗叶，重把离愁深诉[2]。西窗过雨，怪瑶佩流空，玉筝调柱[3]。镜暗妆残，为谁娇鬓尚如许[4]？

　　铜仙铅泪似洗[5]，叹移盘去远，难贮零露。病翼惊秋，枯形阅世，消得斜阳几度？余音更苦，甚独抱清高[6]，顿成凄楚。慢想熏风[7]，柳丝千万缕。

【注解】

　　1 "一襟"句：此首为咏蝉，此处用典。《中华古今论》中记载：传说齐王后因怨恨齐王悲愤而死，死后化为蝉。后世有称蝉为齐女者。 2 "乍咽"三句：刚才还在凉爽的枝头鸣咽，就又转移到树叶的遮蔽之下，重新把离愁深深倾诉。 3 瑶佩流空：玉佩划过天空。玉筝调柱：奏响筝琴。此处皆形容蝉声。 4 "为谁"句：为谁把双鬓妆点得如此动人呢？娇鬓：此处形容蝉翼。 5 铜仙铅泪：此处有典。铜仙，指汉代的承露盘仙人。相传汉武帝迷信神仙之道，希求仙人天降甘露，以图饮下长生不老。遂下令建造高大石柱，上立铜人像，铜人举托盘，作接仙露状。时称"金铜仙人承露盘"。后汉亡，魏明帝命人将承露盘搬走。之所以写到承露盘，是因为有"蝉靠饮露以生"的说法。作者在此隐晦寄托南宋灭亡之哀思。李贺有诗《金铜仙人辞汉歌》，中有："空将汉月出宫门，忆君清泪如铅水。" 6"甚独"句：独自抱着清高的操守。一作"清商"，解为古乐府一种曲调，其韵凄凉悲切，形容蝉鸣。 7慢想熏风：此处"慢"与上篇"慢磨玉斧"用法相同。熏风，东南风，暖风。

长亭怨慢 重过中庵故园[1]

泛孤艇、东皋过遍，尚记当日，绿阴门掩。屧齿莓苔[2]，酒痕罗袖事何限？欲寻前迹，空惆怅、成秋苑[3]。自约赏花人，别后总、风流云散。

水远。怎知流水外，却是乱山尤远。天涯梦短，想忘了、绮疏雕槛。望不尽、冉冉斜阳，抚乔木、年华将晚。但数点红英[4]，犹识西园凄婉。

【注解】

1中庵：元代廉吏刘敏中，字端甫，好诗词，有《中庵集》，为作者友人。 2屧齿：木屧底有二齿。叶绍翁诗《游园不值》中有："应怜屧齿印苍苔。" 3成秋苑：变成秋天的林苑。李贺有诗："梨花落尽成秋苑。" 4红英：红色的花朵。

高阳台 和周草窗寄越中诸友韵 [1]

残雪庭阴，轻寒帘影，霏霏玉管春葭 [2]。小帖金泥 [3]，不知春是谁家？相思一夜窗前梦，奈个人 [4]、水隔天遮。但凄然，满树幽香，满地横斜。

江南自是离愁苦，况游骢古道，归雁平沙 [5]。怎得银笺，殷勤说与年华。如今处处生芳草，纵凭高、不见天涯。更消他，几度东风，几度飞花。

【注解】

1 周草窗：即周密，草窗为其号，作者词友。此首为和周密词《高阳台·寄越中诸友》，词云："小雨分江，残寒迷浦，春容浅入蒹葭。雪霁空城，燕归何处人家？梦魂欲渡苍茫去，怕梦轻、还被愁遮。感流年，夜汐东还，冷照西斜。　姜姜望极王孙草，认云中烟树，鸥外春沙。白发青山，可怜相对苍华。归鸿自趁潮回去，笑倦游、犹是天涯。问东风，先到垂杨，后到梅花。"　2 玉管春葭（jiā）：古代有一种候验节气的器具，叫"灰琯"，亦作"灰管"，是将芦苇（即蒹葭）燃成灰置于十二乐律的玉管之中，到某一节气，芦灰就会从相应的管孔处飞出。　3 小帖金泥：宋代习俗，立春之日宫中即命大臣以金泥撰写皇帝、后妃等所居殿阁的宜春帖词。　4 奈个人：那个人，即周草窗。　5 "江南"三句：江南本是多离愁别绪之地，更何况想起与你一同纵马游览古道，看雁落平沙之情景呢。骢（cōng）：青白色的马。

法曲献仙音 <small>聚景亭梅次草窗韵</small>

　　层绿峨峨[1]，纤琼皎皎[2]，倒压波痕清浅。过眼年华，动人幽意，相逢几番春换。记唤酒寻芳处，盈盈褪妆晚[3]。

　　已消黯。况凄凉、近来离思，应忘却、明月夜深归辇[4]。荏苒一枝春，恨东风、人似天远。纵有残花，洒征衣、铅泪都满。但殷勤折取，自遣一襟幽怨。

【注解】

　　1 层绿峨峨：形容绿梅像峰峦层层叠叠。　2 纤琼皎皎：形容白梅像美玉皎洁纤细。　3 "盈盈"句：形容梅花如同尚未褪去妆容的美丽女子。　4 辇（niǎn）：古代两人拉的车子，多指帝王坐的车。

彭元逊

　　彭元逊（生卒年不详），字巽吾，庐陵（今江西吉安县）人。理宗景定二年（1261）中解试，曾与刘辰翁有唱和。存词二十首。

疏　影 <small>寻梅不见</small>

　　江空不渡，恨蘼芜杜若[1]，零落无数。远道荒寒，婉娩流年[2]，望望美人迟暮[3]。风烟雨雪阴晴晚，更何须、春风千树。尽孤城、落木萧萧，日夜江声流去[4]。

　　日晏山深闻笛，恐他年流落，与子同赋。事阔心违，交淡媒劳[5]，蔓草沾衣多露。汀洲窈窕余醒寐，遗佩浮沉澧浦[6]。

有白鸥、淡月微波，寄语逍遥容与[7]。

【注解】

1 蘼（mí）芜杜若：两者皆为香草名。　2 婉娩：亦作"婉晚"。形容迟暮之年。　3 美人迟暮：化用《离骚》："惟草木之零落兮，恐美人之迟暮。"此处比喻梅花。　4 "落木"二句：语出杜甫诗《登高》："无边落木萧萧下，不尽长江滚滚来。"　5 交淡媒劳：语出《楚辞·九歌》："心不同兮媒劳，恩不甚兮轻绝。"指双方心意不同，媒人辛劳也是无益。　6 遗佩浮沉澧（lǐ）浦：一作"遗佩环、浮沉澧浦"。语出《九歌》："捐余玦兮江中，遗余佩兮醴浦。"澧浦：澧，古水名，在今湖南境内。　7 逍遥容与：语出《九歌》："时不可兮再得，聊逍遥兮容与。"容与，闲适自得的样子。

六　丑 杨花

似东风老大，那复有、当时风气[1]。有情不收[2]，江山身是寄，浩荡何世？但忆临官道[3]，暂来不住，便出门千里。痴心指望回风坠，扇底相逢，钗头微缀[4]。他家万条千缕，解遮亭障驿，不隔江水[5]。

瓜洲曾舣[6]，等行人岁岁。日下长秋城、乌夜起。帐庐好在春睡，共飞归湖上，草青无地。惝惝雨[7]、春心如腻。欲待化、丰乐楼前，帐饮青门都废[8]。何人念、流落无几。点点抟作，雪绵松润，为君泡泪[9]。

【注解】

1 "似东风"二句：此首为借咏叹杨花抒怀而作，故此意为："杨花就像那东风一般衰弱无力，哪还有当年的风发意气。"为作者自况。 2有情不收：形容杨花有情却不知收敛。 3官道：原意指官修的驿道，此处意为作者回忆自己曾身处仕途为官，不久便离去。 4"痴心"三句：仍以杨花借喻自己，痴心指望风能将自己吹回原处（指重返仕途），却只能飘零于扇下，点缀在钗头。"扇底"、"钗头"比喻秦楼楚馆，意指流连在烟花之地。 5"他家"三句：大意为：人家中千万条杨柳中飞出的杨花，只能遮蔽长亭的行人，阻隔驿站的车马，却拦不住江水奔涌而去。 6舣(yǐ)：停船靠岸。 7愔(yīn)愔：形容静寂无声的样子。 8丰乐楼：南宋临安著名楼观，位于杭州涌金门以北。青门：汉代长安城门名。门外出好瓜，广陵人邵平为秦东陵侯，秦亡，为布衣，种瓜青门外。 9抟(tuán)：以手捏使之成团。浥(yì)：沾湿。此处大意为：将点点杨花揉捏成团，为君擦拭眼泪。

姚云文

姚云文（生卒年不详），字圣瑞，号江村，高安（今属江西）人。宋咸淳四年（1268）进士，曾任高邮县尉。入元后，授承直郎，任抚、建两路儒学提举。工于词，有《江村遗稿》，今不传。《全宋词》存词九首。

紫萸香慢

近重阳、偏多风雨，绝怜此日暄明¹。问秋香浓未，待携客、出西城。正自羁怀多感，怕荒台高处²，更不胜情。向尊前、又忆漉酒插花人³，只座上、已无老兵⁴。

凄清。浅醉还醒，愁不肯、与诗平。记长楸走马⁵，雕弓搽柳⁶，前事休评。紫萸一枝传赐⁷，梦谁到、汉家陵。尽乌纱⁸、便随风去，要天知道，华发如此星星，歌罢涕零。

【注解】

1 暄明：形容天气和暖明媚。　2 荒台：指彭城戏马台，宋武帝刘裕曾于重阳节期间登临，即位后就规定九月初九为骑马射箭、检阅军队的日子。据传后世九月初九吃的重阳糕，就是由刘裕当年发给三军将士的干粮演化而来的。　3 漉酒插花：漉酒，即滤酒，陶渊明曾取头上葛巾漉酒；插花，重阳节习俗，臂上插茱萸，以示对亲朋好友思念之情。　4 此处用典。《晋书》中记载：晋代谢奕爱饮酒，曾逼桓温饮酒，温走而避之。谢奕遂拉桓温属下一士兵共饮之，并曰："失一老兵，得一老兵。"后"老兵"亦被引申为酒友。　5 长楸（qiū）走马：楸，落叶乔木，干高叶大。此句意为：在高高的楸树林下纵马奔驰。　6 搽（shè）柳：古时一种竞技游戏，插柳于地，骑马射之，射中者赢。搽，射击。　7 紫萸：即茱萸。　8 乌纱：古代官帽。

僧 挥

僧挥（生卒年不详），俗姓张，名挥，字师利，安州（今湖北安陆县）人。年轻时游荡不羁，几被妻子毒死，后出家为僧，法号仲殊，故又称僧挥。寓居苏州承天寺、杭州宝月寺，与苏轼往来甚厚，崇宁年间自缢而死。苏轼在《东坡志林》中称他"胸中无一毫发事"，"能文善诗及歌词，皆操笔立成，不点窜一字"。其词自成一家，或写春情幽思，明丽清婉；或写登临怀古，旷达洒脱，有词《宝月集》，早已失传，今有赵万里辑本。

金明池

　　天阔云高，溪横水远，晚日寒生轻晕。闲阶静，杨花渐少，朱门掩、莺声犹嫩。悔匆匆、过却清明，旋占得、余芳已成幽恨。却几日阴沉，连宵慵困。起来韶华都尽。

　　怨入双眉闲斗损，乍品得情怀，看承全近[1]。深深态，无非自许，厌厌意[2]、终羞人问。争知道、梦里蓬莱，待忘了余香，时传音信。纵留得莺花，东风不住，也则眼前愁闷[3]。

【注解】

　　1看承全近：看承，看待；全近，极其亲近。此句意为仔细看来，觉得十分亲近。　2厌厌：同"恹恹"，形容精神不振的样子。　3也则：依然是，也还是。

李清照

　　李清照（1084—1155），号易安居士，济南章丘人。出生于书香世家，其父李格非为北宋文学家，且藏书颇丰，李清照从小耳濡目染，自幼便工于诗文，尤擅填词。十八岁嫁与太学生赵明诚，夫妇二人志趣相投，共同从事金石书画的整理与研究，成绩斐然。后因靖康之乱，夫妇避居江南。后不久赵明诚病卒。李清照只身流离于江南之地，备尝颠沛之苦。因此她的词作，也由于生活的变故而分为截然不同的两种风格：早期多写自然风光、思愁别绪，格调清新明丽；后期则多写怀乡念旧、流离之苦，并在身世凄凉的感慨之中寄寓亡国之恸，风格自然也转向孤苦凄切。其词艺术成就很高，被誉为婉约派"宗主"。在词的创作上，她不依傍古人，反对以作诗文之法作词，强调词"别是一家"，对词调在后世的发展影响颇深。李清照作词擅用白描，构思精巧，语言优美，富有生活气息，其创造力使罗大经在《鹤林玉露》中惊叹："以一妇人乃能创意出奇如此！"后人辑其词作成《漱玉集》。

凤凰台上忆吹箫

香冷金猊[1]，被翻红浪[2]，起来慵自梳头。任宝奁尘满[3]，日上帘钩。生怕离怀别苦，多少事、欲说还休。新来瘦，非干病酒[4]，不是悲秋。

休休。者回去也[5]，千万遍阳关[6]，也则难留。念武陵人远[7]，烟锁秦楼[8]。惟有楼前流水，应念我、终日凝眸。凝眸处，从今又添，一段新愁。

【注解】

1金猊（ní）：狮子形的铜香炉。猊，指狻（suān）猊，传说中龙生九子之一，形如狮，喜烟好坐，所以形象一般出现在香炉上，随之吞烟吐雾。 2被翻红浪：指红缎的锦被乱摊在床上。柳永词《凤栖梧》中有："鸳鸯绣被翻红浪。" 3宝奁（lián）：女子梳妆用的镜匣。 4非干：无关乎。 5休休：罢了罢了。者：同"这"。 6阳关：指王维七绝《送元二使安西》中名句："劝君更尽一杯酒，西出阳关无故人。"后谱入乐府，成为送别之曲，谓之《阳关三叠》。 7武陵人远：指东晋陶潜名篇《桃花源记》中武陵人误入桃花源之事，此处武陵人指所思之人。 8秦楼：化用古诗《陌上桑》中"日出东南隅，照我秦氏楼"，此处借指自己的住所。

醉花阴

薄雾浓云愁永昼。瑞脑消金兽¹。佳节又重阳，玉枕纱厨²，半夜凉初透。

东篱把酒黄昏后³。有暗香盈袖⁴。莫道不消魂，帘卷西风，人比黄花瘦。

【注解】

1瑞脑：即龙脑，一种冰片，做香料用。金兽：兽形铜香炉。　2玉枕：瓷枕。纱厨：即纱帐。　3东篱：指种菊花处。陶渊明《饮酒》诗中有："采菊东篱下，悠然见南山。" 4暗香：幽香。

声声慢

寻寻觅觅，冷冷清清，凄凄惨惨戚戚。乍暖还寒时候¹，最难将息²。三杯两盏淡酒，怎敌他、晚来风急。雁过也，正伤心，却是旧时相识。

满地黄花堆积。憔悴损，如今有谁堪摘。守着窗儿，独自怎生得黑³。梧桐更兼细雨，到黄昏、点点滴滴。这次第⁴，怎一个愁字了得。

【注解】

1乍暖还寒：指初春忽冷忽热的天气。　2将息：保养、休息。南方方言。　3"独自"句：独自一人该怎么捱到天黑？ 4这次第：这光景。

念奴娇

萧条庭院，又斜风细雨，重门须闭。宠柳娇花寒食近[1]，种种恼人天气。险韵诗成[2]，扶头酒醒[3]，别是闲滋味。征鸿过尽[4]，万千心事难寄。

楼上几日春寒，帘垂四面，玉阑干慵倚。被冷香消新梦觉，不许愁人不起。清露晨流，新桐初引[5]，多少游春意。日高烟敛，更看今日晴未。

【注解】

1寒食：寒食节。　2险韵：诗词中使用冷僻、难押的字作韵脚，称为用险韵。　3扶头：指头因醉酒而感沉重。　4征鸿：飞翔的鸿雁。　5"清露"两句：语出《世说新语·赏誉》："恭尝行散至京口射堂，于时清露晨流，新桐初引。"初引，指刚刚发出嫩芽。

永遇乐 元宵

落日熔金，暮云合璧，人在何处。染柳烟浓，吹梅笛怨[1]，春意知几许。元宵佳节，融和天气，次第岂无风雨[2]。来相召、香车宝马，谢他酒朋诗侣。

中州盛日[3]，闺门多暇，记得偏重三五[4]。铺翠冠儿，捻金雪柳[5]，簇带争济楚[6]。如今憔悴，风鬟霜鬓[7]，怕见夜间出去[8]。不如向、帘儿底下，听人笑语。

【注解】

1吹梅笛怨:古有笛奏名曲《梅花落》,曲调凄婉,故出此语。　2次第:这里不再是"光景"之意,而是"转眼间,紧接着"的意思。　3中州:古称河南一带为中州,此处指汴京,即开封市。　4三五:即元宵节。　5铺翠冠儿:古时用鸟的羽毛做装饰的一种帽子。捻金雪柳:用金钱银丝编制而成的绢花。此两句均指宋时元宵节人们所戴的装饰品。　6簇带:插戴满头;带,同"戴"。济楚:整齐、漂亮的样子。　7风鬟(huán)霜鬓(bìn):鬟,古时妇女梳的环形发髻;鬓,脸旁靠近耳朵的头发。此处指头发已凌乱斑白,自况凄苦之态。　8怕见:怕着,害怕。